VIRGINIA WOOLF

Alexandra Harris

VIRGINIA WOOLF

Aus dem Englischen von Tanja Handels und Ursula Wulfekamp

L.S.D.

VORWORT

Im Jahr 1907 war Virginia Stephen eine fünfundzwanzigjährige Schriftstellerin, die noch keinen Roman veröffentlicht hatte. Mit jeder Woche, die verstrich, mit jedem Text, den sie schrieb, ging es für sie um alles oder nichts. Sie wusste nicht, ob sie heiraten und eine Familie haben würde. Noch war nicht einmal klar, ob sie sich als Genie oder nur als Mittelmaß erweisen würde. In einem Brief an Violet Dickinson, ihre erste große Liebe, beschrieb sie den Scheideweg, an dem sie sich sah: »Ich werde entweder unglücklich oder glücklich sein, mich wortreich und sentimental verbreiten oder aber ein solches Englisch schreiben, dass die Seiten einmal Funken sprühen.«[1] Vier Jahre später glaubte sie ihre Träume zerronnen. Gegenüber ihrer Schwester Vanessa fasste sie ihre Situation mit wenigen trostlosen Worten zusammen: »29 und unverheiratet – eine Versagerin – kinderlos – verrückt obendrein, keine Schriftstellerin.«[2] Aber aufgegeben hatte sie sich noch nicht. Im selben Brief sah sie ihre Seiten Funken sprühen. Es war Juni, ein Gewitter war niedergegangen, die Sinnlichkeit brannte wie Feuer in ihr. Und noch während sie von ihrem Scheitern spricht, flammt ihre Sprache auf: »jedes Wort [glüht] vor Leidenschaft wie ein Hufeisen auf dem Amboß.«[3]

Schließlich ging sie ihren Weg und zählt längst zu den größten Autoren aller Zeiten. Heute wird sie nicht nur wegen ihrer Romane gewürdigt, sondern auch wegen ihrer Essays und Glossen, der Memoiren und biographischen Experimente, wegen ihrer funkelnden, bewegenden Tagebücher und ihrer schier unzähligen Briefe. Entschlossenheit, harte Arbeit und unbedingtes Interesse an der Welt, die sie umgab, bestimmten die Geschichte ihres Lebens. Sie nahm nichts als gegeben hin. Das bewiesen 1907 ihre Zweifel, ob sie überhaupt Schriftstellerin werden würde, ebenso wie viel später ihre Überzeugung, *Zwischen den Akten* sei ein Fiasko. Sie konnte sich nie auf ihren Erfolg verlassen, weil sie jede Wiederholung scheute.

Ihre sprachlichen Bilder des Glühens und Funkensprühens haben etwas Romantisches, und in vieler Hinsicht war Virginia Woolf tatsächlich eine Romantikerin. Manchmal sah sie die ganze Gestalt eines Romans wie in einer Vision vor sich, aber Romane werden nicht in Visionen geschrieben. Sie entstehen in stunden-, tage-, wochenlanger Schreibarbeit, an der man verzweifelt, die man verwirft, korrigiert und immer wieder neu abtippt. Wenn man Woolfs Tagebücher und Briefe in chronologischer Folge liest, kann man das rückblickende Wissen kurzzeitig ausblenden und die Entscheidungen nachvollziehen, die sie tagtäglich treffen musste: Sollte sie in Richmond bleiben oder wieder nach London ziehen? Sollte sie Vita Sackville-West in ihr Leben lassen? Sie kaufte ein Haus in Südfrankreich und zog beinahe dorthin, sie schwelgte in ihrer Arbeit an *Die Jahre*, ehe sie kurz vor dem Ende ins Straucheln geriet und das Schreiben zu einem Albtraum wurde. Wir können in die Zukunft schauen und sehen, dass sie einen Zusammenbruch überstehen und ein Meisterwerk beenden wird; aber erst, wenn wir uns daran erinnern, dass ihr dieser Blick verwehrt war, erkennen wir, wie zäh und beharrlich Virginia Woolf tatsächlich war.

Ich möchte in diesem schmalen Buch versuchen, die Konturen ihres Lebens und einige ihrer charakteristischsten Gedankenmuster zu umreißen. Die Biographie soll ein Einstieg für alle sein, die sich noch nicht mit Woolf beschäftigt haben, und eine Anregung, mehr von ihr zu lesen. Leser, die mit dem hier vorgestellten Material bereits vertraut sind, bekommen durch das Buch hoffentlich neue Ideen (oder Argumente). Das Volumen an Fachliteratur zu Woolf wächst ständig. Jedes Jahr erscheinen weitere herausragende Archivstudien, Exegesen über bestimmte Themen und Berichte über neu entdeckte historische Bezüge. Aber das Panoramabild hat ebenso seine Berechtigung wie die Detailaufnahme. In einem kurzen Abriss können neue Gedanken deutlicher werden. Er stellt an den Autor wie an den Leser andere, aber nicht minder große Anforderungen.

Jede Lesart Virginia Woolfs unterscheidet sich in der Gewichtung. Um mit ihren Worten zu sprechen, es »fällt der Akzent anders als früher«.[4] Die Akzente, die ich hier setze, sind nicht in Stein gemeißelt, und sehr wahrscheinlich werde ich sie später selbst verschieben wollen. Vergangenes Jahr hätte ich mehr über Kunst und über Roger Fry gesagt. Als ich dieses Jahr *Zum Leuchtturm* wieder las, musste ich ständig über die religiöse Ikonographie und den Atheismus nachdenken, die dort zutage treten. Ich las alle Romane in rascher Folge, und dabei fiel mir deutlicher als je zuvor auf, dass der Geist von *Orlando* wirklich in allen zu finden ist und dass der Spaß und die Phantasie, die *Orlando* ausmachen, selbst in einige der düstersten Nischen von Virginia Woolfs Texten vordringen. Sie schrieb einmal, ihr fehle »de[r] Glanz & das Schmeicheln & die Festlichkeit«,[5] die Vita besitze. Mit jedem Buch, das ich für diese Biographie las, verstärkte sich mein Eindruck, dass Virginia Woolf sich selbst ein Fest war und dass sie das Leben mit ihrem Werk auf ganz besondere Weise würdigte und beging. Sicher gibt es manche Widersprüche, sicher möchte man einiges an ihr kritisieren oder hinterfragen. Doch

9

welche Gefühle sie auch immer hervorruft, sie erweckt den Wunsch, das Leben bewusster und in all seiner Fülle zu leben.

Bald nachdem ich *Zum Leuchtturm* als Teenager zum ersten Mal gelesen hatte, las ich Hermione Lees Woolf-Biographie. Das Buch führte mir vor Augen, was Literatur bewirken kann, es ist der Grund, weshalb ich später Anglistik studierte. Hermione Lee prägte mein Bild von Virginia Woolf schon sehr früh und tut es bis heute. Das bedeutet auch, dass diese kurze Studie ihrer *Virginia Woolf* mehr verdankt, als ich hier zu sagen vermag. Ich kann nur meinen tief empfundenen Dank zum Ausdruck bringen und hoffen, dass ich nicht zu sehr geplündert habe. Mein Dank gilt auch den vielen anderen Autoren, die über Virginia Woolf geschrieben haben, deren Werke ich in den Anmerkungen und der Bibliographie[6] nenne und denen ich mein ganzes Wissen verdanke. Sehr herzlich danke ich Lara Feigel und Felicity James für ihre scharfsichtigen Kommentare zu meinem Text sowie meiner Agentin Caroline Dawnay für ihr Vertrauen in das Projekt. Großen Dank schulde ich Jamie Camplin und allen bei Thames & Hudson, die an diesem Buch gearbeitet haben, insbesondere meiner Lektorin Amanda Vinnicombe, Richard Dawes für das Manuskriptlektorat, der Bildredakteurin Mary-Jane Gibson sowie Andrew Brown, der den Index[7] erstellt hat. Für ihre Unterstützung danke ich allen, die mir erlaubt haben, aus urheberrechtlich geschützten Werken zu zitieren. Und zu guter Letzt danke ich, wie immer, Robert Harris, aber auch Jane Lewis, die mich als Studentin zum ersten Mal zum Monk's House mitnahm, und meinen eigenen Studenten an der University of Liverpool, die mehr Woolf vorgesetzt bekamen, als sie erwarteten, und die sich trotzdem dazu entschlossen haben, noch mehr von ihr zu lesen.

Virginia Stephen mit zwanzig, aufgenommen 1902 von George Beresford.

Wer also war ich?

Adeline Virginia Stephen, die zweite Tochter von Leslie und Julia Prinsep Stephen, geboren am 25. Januar 1882, Nachfahrin sehr vieler Menschen, manche berühmt, andere unbekannt; hineingeboren in eine große Verwandtschaft, nicht als Tochter reicher, aber doch wohlhabender Eltern, hineingeboren in eine sehr kommunikative, belesene, Briefe schreibende, Besuche abstattende, redegewandte Welt des ausgehenden neunzehnten Jahrhunderts [...].

Virginia Woolf, »Skizze der Vergangenheit«, 18. April 1939

1

VIKTORIANER: 1882–1895

Als Virginia Stephen im großen elterlichen Schlafzimmer im ersten Stock des Hauses Hyde Park Gate Nummer 22 in Kensington zur Welt kam, lebten dort bereits sehr viele Menschen. Ihre Eltern, Julia und Leslie Stephen, hatten beide Kinder aus einer früheren Ehe. Gerald und George waren Julias Söhne aus ihrer Verbindung mit Herbert Duckworth; die beiden verbrachten zwar den Großteil des Jahres im Internat, wurden aber bei Ferienbeginn immer tränenreich empfangen. Julias Tochter Stella, bei Virginias Geburt zwölf Jahre alt, war eine wichtige Bezugsperson im Leben der Stephen-Kinder. Dann gab es noch Leslies Tochter Laura, ein fremdartiges, sonderbares Geschöpf »mit leeren Augen«,[1] das Leslie ständig schmerzliche Sorge bereitete, weil er nicht wusste, was Laura fehlte und wie er ihr helfen sollte. Oben im Kinderzimmer war Virginia in Gesellschaft ihrer Geschwister: ihre ältere Schwester Vanessa, geboren 1879, ihr Bruder Thoby, geboren 1880, und der Jüngste, Adrian, geboren 1883. Eine Mittelschichtfamilie dieser Größe brauchte Personal: Neben Sophie Farrell, der langjährigen Köchin der Familie, gab es sieben Dienstmädchen, deren Schlafzimmer unterm Dach lagen und die sich im düsteren Souterrain ein Wohnzimmer teilten.

Das schmale Haus platzte regelrecht aus den Nähten mit den vielen Leben, die sich dort abspielten, und jedes brachte seine eigenen Bedürfnisse und Schwierigkeiten mit sich. Erschwerend kam hinzu, dass neben den Lebenden auch die Briefe, Andenken und Erinnerungen der vielen Toten Platz finden mussten. Virginia war nach der kurz vor ihrer Geburt verstorbenen Tante Adeline benannt, aber das »Adeline« wurde rasch fallen gelassen, weil es Julia zu traurig machte, den Namen zu hören. Das Glück in Leslies und Julias Ehe beruhte auf dem geteilten Verlust ihrer jeweils ersten großen Liebe. Beide pflegten die Kunst des Erinnerns, und jeder Winkel des Hauses hatte Geschichten zu erzählen.

Rückblickend erschien Hyde Park Gate Virginia »übervoll von Szenen des Familienlebens – grotesken, komischen und tragischen, von den heftigen Emotionen der Jugend, von Rebellion, Verzweiflung, berauschendem Glück, ungeheurer Leere«, so dass allein die Erinnerung an dieses Haus, »durchwoben und durchwirkt von Emotionen«,[2] ihr die Kehle zuschnürte. Julias Einrichtungsstil machte das Haus noch dunkler und voller, als es ohnehin war: »Plüsch, Porträts von Watts, Büsten umschreint von rotem Samt«.[3] Das Wohnzimmer ließ sich durch schwarz gestrichene Flügeltüren unterteilen, die in Virginias Erinnerung den Rhythmus des Hauses bestimmten. So konnte auf der einen Seite der Türen eine Katastrophe und auf der anderen eine fröhliche sonntägliche Teegesellschaft im Gange sein. Bisweilen kam es vor, dass man von einem bedrückenden Gespräch auf der »geheimträchtigen« Seite auf die andere wechselte und sofort die dort sitzenden Gäste unterhalten musste, die sich an »Rosinengebäck« gütlich taten.[4] Beherrschung war alles, doch die Stimmung im einen Raum färbte unweigerlich auf die im Nebenzimmer ab.

Dass Gegenstände oder Gefühle ein Eigenleben führen, taucht in Woolfs Romanen immer wieder als Muster auf, auch noch in ihrem letzten, *Zwischen den Akten*, wo eine

Stimmung zuerst »zusammengebraut«, dann unterbrochen wird und versickert.[5] In *Die Wellen* schildert Virginia Woolf in einigen Bildern aus der frühen Kindheit die intensiven individuellen Wahrnehmungen einzelner Kinder (»Ich sehe einen Ring«, »Ich höre ein Geräusch«, »Ich sehe eine feuerrote Troddel«) und beschreibt dann den Schock, wenn die Kapsel des individuellen Bewusstseins von der Einsicht aufgebrochen wird, dass auch andere Menschen existieren: Menschen mit ihren eigenen geheimen Gefühlen.[6] Die Erkenntnis, dass es andere, von ihr getrennte und ihr unbekannte Leben gibt, überfiel sie als Kind häufiger. Mal geschah es durch die Nachricht, dass jemand im Garten einen Heiratsantrag bekommen hatte, oder durch einen Ausdruck im Blick ihrer Mutter, der auf ein verborgenes Gefühl schließen ließ. Nie vergaß Virginia Woolf, wie Julia vom Besuch bei einem Mann in der Nachbarschaft zurückkehrte, den sie nach einem Unfall gepflegt hatte: »Ich spielte. Ich unterbrach mein Spiel, um etwas zu ihr zu sagen. Aber sie wandte sich halb von uns ab und senkte den Blick.«[7] Die Mutter brauchte ihr nicht eigens zu sagen, dass der Mann gestorben war.

Wenn Virginia Woolf konkrete Bilder ihrer Mutter heraufzubeschwören versucht, blickt die Gestalt oft von ihr fort. Trotzdem war Julia die zentrale, charismatische Figur im Leben all ihrer Kinder. Julia Stephen war eine anmutige, melancholische Schönheit, die Muse der Präraffaeliten, die weiß gekleidete Madonna in Burne-Jones' *Verkündigung* (gemalt 1879, als sie mit Vanessa schwanger war), das eindringliche Gesicht auf den Photos ihrer Tante Julia Margaret Cameron; die Bilder werden zu den Rändern hin unscharf, so dass die verhangenen Augen und die hohlen Wangen wie die einer Geistererscheinung aussehen.[8] Julia war der mythische Stoff viktorianischer Träume, gleichzeitig aber eine praktisch denkende Frau, die sehr hart arbeitete und eine große Familie zu versorgen hatte. Außerdem war es ihr ein Anliegen, jedermann zu helfen, von dessen Not sie erfuhr, ob er nun arm oder reich war, ein Verwandter oder ein Fremder. Nicht von ungefähr hatte sie Leslie bei ihrer Verlobung gewarnt, sie werde große Teile ihres Alltags ihrer Arbeit widmen. Aber sie war auch eine gute Gastgeberin, und viel von der Fröhlichkeit und Heiterkeit in der Familie ging auf sie zurück, obwohl die viktorianischen Maler diese Qualitäten bei der Darstellung ihrer Madonnen nur ungern berücksichtigten. Als Erwachsene glaubte Virginia, dass sie das schallende Lachen ihrer Mutter geerbt habe, und tatsächlich machten viele Freunde Bemerkungen über ihr wildes Gelächter.

Da Julia ständig mit diesem oder jenem beschäftigt war, nahm Virginia sie mehr als »eine allgemeine Präsenz« wahr denn als eine »ganz spezielle Person«.[9] Dieser Gegenwart sollte sich Woolf den Rest ihres Lebens bewusst bleiben, und ebenso lange würde sie zu verstehen versuchen, wer diese starke, komplizierte Frau eigentlich war. Mrs. Ramsay verbreitet in *Zum Leuchtturm* eine Atmosphäre großen Ernstes, den sie auch selbst verkörpert, doch als sie für ihr Portrait Modell sitzen soll, dreht sie immer wieder den Kopf fort, um sich mit ihrem Sohn und den Gästen zu beschäftigen. Es ist für Lily Briscoe keine leichte Aufgabe, sie zu malen.

Während Julia sich um das Familienleben mit all seinen Anforderungen und Facetten kümmerte oder ermüdende Besuche abstattete, saß Leslie Stephen im obersten Geschoss des Hauses in seinem Arbeitszimmer. Hier schrieb er die Bücher, denen er seinen Ruf als einer der führenden Gelehrten des 19. Jahrhunderts verdankte, ob nun im Bereich Literaturkritik, Philosophie, Geschichte oder Biographie. Im Jahr von Virginias Geburt gab er seine Arbeit als Herausgeber des *Cornhill*

Julia Stephen mit Virginia, 1884. In »Skizze der Vergangenheit« beschreibt
Virginia eine ihrer frühesten Erinnerungen an ihre Mutter: »rote und violette
Blumen auf schwarzem Grund – [das] Kleid meiner Mutter; und sie saß
entweder in einem Zug oder in einem Omnibus, und ich auf ihrem Schoß.«

Magazine zugunsten eines noch größeren Projekts auf: *The Dictionary of National Biography*, ein monumentales Werk mit Biographien der bedeutendsten Persönlichkeiten im öffentlichen Leben Großbritanniens. Als Herausgeber musste er die Arbeit der über 600 Autoren koordinieren, zudem verfasste er selbst 378 Beiträge. Es war eine gewaltige Anstrengung, immer wieder quälten ihn nervöse Beklemmungen und Schlaflosigkeit. Tagsüber hörten die Kinder ihn in seinem Arbeitszimmer oft laut stöhnen, und wenn er es verließ, war er häufig übel gelaunt. Allzu oft berief er sich auf den Kult des männlichen Genies – im 19. Jahrhundert sah man ihm Wutausbrüche gepaart mit euphorischen Inspirationsschüben gern nach. In den Arbeitspausen jedoch war er ein wunderbarer und aufmerksamer Vater, der mit seinen Kindern im Garten Schmetterlinge fing, von seinen abenteuerlichen Expeditionen in die Alpen erzählte, ihnen laut vorlas und sie nach ihrer eigenen Lektüre befragte.

Er besitze »nur einen guten zweitklassigen Verstand«,[10] sagte er seiner klugen jüngeren Tochter einmal bedauernd. Doch sie bewunderte ihn ihr Leben lang für das, was er geschrieben hatte, und achtete ihn wegen seiner intellektuellen Integrität und seines Freidenkertums, die ihn zum wortgewaltigen Atheisten und Rationalisten machten. In seinen Büchern zu lesen, wie sie es bis zu ihrem Tod immer wieder tat, half ihr, die Beziehung zu ihm fortzusetzen. Von Julia hingegen war nichts vergleichbar Handfestes und Verlässliches geblieben. Wer war sie also? Spielte es eine Rolle, dass sie kaum greifbare Spuren hinterlassen hatte? Dies ist eine der Fragen, die in *Zum Leuchtturm* immer wieder gestellt werden. Was wird bleiben? Für Virginia Woolf war das Schreiben eine Möglichkeit, Vergänglichkeit zu überwinden. Etwas niederzuschreiben hieß, es festzuhalten.

Sir Leslie Stephen von G. F. Watts, 1878. Dieses melancholische, würdevolle Portrait, das Leslie als Verlobungsgeschenk für Julia anfertigen ließ, beeinflusste
die Atmosphäre in Hyde Park Gate.

Das empfand sie offenbar schon sehr früh, denn im Kinderzimmer in Hyde Park Gate wurde immer sehr viel geschrieben. Ab 1892, als Virginia zehn war, überreichten sie und
Vanessa, bisweilen auch Thoby, ihren Eltern ausnahmslos
jeden Montag die *Hyde Park Gate News*. Diese illustrierte Zei-
tung (heute als Sammlung veröffentlicht) dokumentiert den
kreativen Alltag der Stephen-Kinder und ihre Konkurrenz
untereinander.[11] Jedes hatte eine Vielzahl von Spitznamen und
diverse Rollen, die es zu erfüllen galt. Häusliche Begebenhei-
ten wurden eingehend erörtert, und kein Besucher, der das
Haus betrat, verließ es wieder, ohne insgeheim genau in Au-
genschein genommen und karikiert worden zu sein.

Zweimal am Tag mussten die Kinder in den Kensington
Gardens spazieren gehen. Verständlicherweise wurde das etwas eintönig, obwohl Virginia aufmerksam alles registrierte,
was es auf ihrer Runde zu sehen gab: die alte Frau, die am
Queen's Gate Nüsse und Schnürsenkel verkaufte, die geripp-
ten Muschelschalen entlang des Flower Walk. Meist gab es
irgendetwas Berichtenswertes festzuhalten, und wenn nicht,
dann schrieb Virginia eine Geschichte. Und weil sie viel zu sagen hatte, wurden die Geschichten oft sehr lang und erschienen in wöchentlichen Fortsetzungen.

Was sollten, was würden diese ehrgeizigen Herausgeberin-
nen der *Hyde Park Gate News* aus ihrem Leben machen? Julia
Stephen sah ihre Töchter später als Ehefrauen und Mütter, die
sich ganz der Pflege und Unterstützung ihrer Familien widmen
und einen kultivierten Haushalt führen würden. Ihr Frauenbild
entsprach den herkömmlichen Vorstellungen, sie lehnte das
Frauenwahlrecht aus tiefster Überzeugung ab, und entsprechend erachtete sie es als überflüssig, dass ihre Töchter eine
richtige Schulbildung erhielten. Mit dieser Auffassung stand
sie damals keineswegs alleine da; von einigen wenigen Aus-

nahmen abgesehen, besuchten Mädchen in den 1890er Jahren schlicht keine Schule. Leslie hätte seinen Töchtern womöglich erlaubt, zu diesen seltenen Ausnahmen zu gehören, doch fügte er sich in dieser Hinsicht den Wünschen seiner Frau. Und so gingen Thoby und Adrian zur Schule und später nach Cambridge, Vanessa und Virginia blieben zu Hause.

Allerdings bemühten sich ihre Eltern kontinuierlich und mit großem Einsatz, den Mädchen die nötige Bildung zu vermitteln, sie zu fördern und zu unterstützen. Wann immer Julia Zeit fand, gab sie ihren Töchtern Unterricht, aber sie hatte viele Verpflichtungen. Leslie brachte ihnen Mathematik bei, machte sie mit den Grundzügen des Lateinischen und Griechischen vertraut und gab ihnen Bücher aus seiner Bibliothek zu lesen. Beide waren fähige Erzieher mit anspruchsvollen Grundsätzen, aber sie konnten den Mädchen weder die Struktur und Regelmäßigkeit einer Schule bieten noch den geselligen Umgang mit Gleichaltrigen. Die Schwestern mussten sich selbst als Gesellschaft genügen.

Virginia wusste offenbar immer schon, dass sie Schriftstellerin, und Vanessa, dass sie Malerin werden würde.[12] Das hatten sie bereits früh geklärt, und von da an übten sie sich mit Wetteifer in ihrer erwählten Kunst. Jahrelang beharrte Virginia darauf, an einem so hohen Tisch zu arbeiten, dass sie beim Schreiben stehen musste. Das verlieh ihrer Tätigkeit etwas sehr Förmliches und Ernsthaftes, und gleichzeitig war sie dadurch Vanessa, die an einer Staffelei malte, ebenbürtig. Und so standen die beiden stundenlang in ihrem Zimmer im dritten Stock des Hauses. Sie waren fest entschlossen: Sie würden ihren Weg machen.

Neun Monate im Jahr war London die Kulisse, vor der sich Virginias Leben abspielte. Doch wenn sie als Erwachsene auf ihre Kindheit zurückblickte, dachte sie als Allererstes an einen Garten am Meer. Dieser Garten barg intensive sinnliche Erlebnisse, Stimmen im Dämmerlicht und Hecken, durch die man einen Blick auf die Welt außerhalb werfen konnte: »[Z]wischen den birnenförmigen Blättern der Eskallonie schienen sich Fischerboote verfangen zu haben.«[13]

Es ist der Garten von Talland House in St. Ives, wo Virginia Stephen die ersten dreizehn Sommer ihres Lebens verbrachte. Leslie hatte das Haus mit dem hübschen Gitterwerk, den hohen Fenstern und dem Blick aufs Meer 1881 bei einem Wanderurlaub in Cornwall entdeckt und es sofort für den Familienurlaub gepachtet, trotz der Mühen, die es bedeutete, jedes Jahr mit mehreren kleinen Kindern und einem ganzen Haushalt dorthin umzuziehen. Dennoch hören wir in einem Brief aus dem Jahr 1884 die Stimme eines stolzen, aufgeregten Vaters. Der Garten mit den blühenden Hecken, den »versteckten Winkeln« und den »langen Abhängen, die man im Sitzen hinunterrutschen kann«, bezauberte ihn. Für ihn war es »ein Westentaschen-Paradies, mit einer geschützten sandigen Bucht zu Füßen, die (sogar für 'Ginia) leicht zu erreichen ist.«[14] Und er hatte Recht. Seine Tochter erinnerte sich ihr Leben lang an den Garten und schrieb darüber wie über eine Art Paradies.

Talland House war der Ort, an den Virginia Woolf, wie sie 1939 schrieb, »die wichtigste aller meiner Erinnerungen« hatte. Es war die Erinnerung, so meinte sie, auf der alle anderen beruhten:

Sie handelt davon, halb schlafend, halb wach, im Kinderzimmer in St. Ives im Bett zu liegen. Sie handelt davon zu hören, wie die Wellen sich brechen, eins, zwei, eins zwei, und einen Wasserschwall über den Strand schäumen lassen; und sich dann wieder brechen, eins zwei, hinter einem gelben Rouleau. Sie handelt davon zu hören, wie das Rouleau seine kleine Eichel über den Boden schleift, während der Wind das Rouleau bauscht. Sie handelt davon, dazuliegen und dieses Schäumen zu hören und dieses Licht zu sehen, und zu fühlen, es ist fast unmöglich, dass ich hier bin; die reinste Ekstase zu fühlen, die ich mir nur vorstellen kann.[15]

Sie erinnert sich hier an Sicherheit und Stille, und gleichzeitig ist sie sich der weiten Welt sehr bewusst, die jenseits von ihr liegt. Vertrautes wirkt für einen Moment fast wie ein Wunder. Der hier anklingende Rhythmus ist eben der, der in *Die Wellen* und in allen bedeutenden Texten Virginia Woolfs anklingt. Äußerlich passiert nichts; niemand, der an der Tür zum Kinderzimmer gestanden und die Szene beobachtet hätte, hätte ihre Bedeutung erkennen können. Es ist eine verborgene Erkenntnis, und eben solche Momente werden uns in Virginia Woolfs Romanen als das strukturierende Prinzip unseres Lebens geschildert.

In den langen Sommern in St. Ives, die von August bis Oktober währten, konnte Virginia viele dieser intensiven Momente ganz persönlicher Empfindungen und einsamer Abenteuer erleben. Da gab es einen Kreis, der Sicherheit bot, und jenseits davon die spannenden, Furcht erregenden Erkundungen. Der kleine Jacob in *Jacobs Zimmer* ist ganz allein am Strand, er fühlt sich verloren, und alles kommt ihm riesenhaft vor. Er sieht zwei große rote Gesichter aus dem Sand zu ihm hinaufschauen. »Jacob starrte zu ihnen hinunter. Dann, den Eimer festhaltend, sprang Jacob entschlossen [vom Felsen] und trabte davon, anfangs sehr gelassen«, dann aber »schneller und schneller« der Sicherheit entgegen.[16] Bernard und Susan kommen sich in *Die Wellen* als »Entdecker eines unbekannten Landes« vor, als sie über die Mauer zu dem weißen Haus zwischen den Bäumen blicken.[17] Ehrfürchtig schauen sie, speichern ein Bild, das ihnen ewig im Gedächtnis bleiben wird, ehe sie panisch in die ummauerte Sicherheit zurücklaufen.

Im Garten von Talland House war ständig etwas los, und deshalb hatte man ihn in gesellige Bereiche und romantische Ecken unterteilt, die allgemein respektiert wurden. Meist war auf dem Rasen ein Cricketspiel in Gange, das sich weit in die Abenddämmerung hineinzog, bis der leuchtende Ball vor der dunklen Hecke kaum mehr auszumachen war. (Virginias jugendliche Leidenschaft für Cricket war der Vorläufer der Begeisterung, mit der sie als Erwachsene Bowls spielte.) Es gab ein bestimmtes Zeremoniell, nach dem Gäste am Bahnhof abgeholt wurden:

Der Ausguck war eine grasbewachsene Erhöhung, die über die hohe Gartenmauer ragte. Dort wurden wir oft hingeschickt, um auf das Fallen des Signals zu warten. Wenn das Signal fiel, war es Zeit, zum Bahnhof aufzubrechen, um auf den Zug zu warten. Es war der Zug, der Mr. Lowell brachte, Mr. Gibbs, die Stillmans, die Lushingtons, die Symondses.[18]

1894 wurde direkt vor Talland House ein Hotel errichtet, der Blick aufs Meer war verbaut. Im September packten die Stephens zum letzten Mal in ihrem Ferienhaus zusammen, obgleich sie nicht wussten, dass es das letzte Mal sein würde. Im Herbst bekam Julia ein rheumatisches Fieber. Auf Photos aus diesem letzten Jahr sieht sie ausgezehrt und erschöpft aus, obwohl sie damals erst achtundvierzig war. Die Krankenschwester, die an so vielen Betten gestanden hatte, brauchte jetzt selbst Pflege. In *Zum Leuchtturm* verweilt die Erzählung beim leeren Ferienhaus, wo Zugluft hereinkriecht und sich in zurückgelassenen Habseligkeiten verfängt, den Saum eines

Virginia und Vanessa Stephen in St. Ives, 1894. Im Garten von Talland House wurde oft Cricket gespielt, wobei Virginia sich vor allem als Werferin auszeichnete. Später spielten sie und Leonard regelmäßig und mit großem Wettkampfgeist Bowls.

Umhangs lüftet, den Spielzeugeimer eines Kindes umwirft. Und dann wird in Klammern in zwei Sätzen berichtet, was in weiter Ferne passiert ist: »[Mr Ramsay streckte, als er eines dunklen Morgens einen Flur entlangstolperte, die Arme aus, doch da Mrs Ramsay in der Nacht zuvor ziemlich plötzlich gestorben war, streckte er die Arme nur aus. Sie blieben leer.]«[19] Was die Kinder empfanden, wird nicht geschildert.

Julia Stephen starb am 5. Mai 1895 in London. Das erdrückende Protokoll viktorianischer Trauer begann. »Zimmer waren verschlossen. Leute kamen und gingen so leise wie möglich«,[20] erinnerte sich Virginia, Blumen lagen hoch aufgetürmt auf dem Tisch im Vestibül und verbreiteten einen schweren Duft. Stoisch begann die sechsundzwanzigjährige Stella, das Familienleben in die Hand zu nehmen. Auf schwarz umrandetem Papier wurden Briefe geschrieben. Leslie saß ächzend und außer sich vor Kummer im dunklen Wohnzimmer, vor dessen Fenstern dichte Ranken wucherten und das Tageslicht aussperrten.

Virginia suchte ihr Leben lang nach Möglichkeiten, die Gefühle zu beschreiben, die sie in dieser Zeit empfand. In *Die Jahre*, 1937 verfasst, nimmt sie die Warte der Tochter Delia ein, die sieht, wie die anderen feierlich vor dem Bett knien und selbst die Pflegerinnen weinen.

Sollte ich mich auch hinknien? dachte sie. Nicht im Flur, beschloß sie. Sie wandte den Blick ab; sie sah das kleine Fenster am Ende des Flurs. Regen fiel; ein wenig Licht von irgendwoher ließ die Regentropfen aufleuchten. Ein Tropfen nach dem anderen glitt die Scheibe hinab; sie glitten und hielten inne; ein Tropfen vereinigte sich mit einem anderen, und dann glitten sie weiter.[21]

In dieser distanzierten Auflistung mechanisch registrierter Eindrücke lassen die Regentropfen an Tränen denken. Aber bezeichnenderweise sind es eben keine Tränen. Das Bedrückendste in dieser Zeit war für Virginia Stephen, dass sie nicht das empfinden konnte, was sie glaubte, empfinden zu müssen. Zwar flüsterte sie wie die anderen, doch hinter der Fassade konventionalisierter öffentlicher Trauer gab es nichts als Empfindungslosigkeit, und die bekümmerte sie mehr als jede Trauer, die sie hätte in Worte fassen können. »[...] und ich sagte zu mir, wie ich es seitdem in Augenblicken der Krise oft getan habe: ›Ich fühle überhaupt nichts.‹«[22] Vage war sie sich des Widerspruchs zwischen äußerer Erwartungshaltung und innerem Erleben bewusst, doch erst sehr viel später konnte sie ihn beschreiben. »Wir wurden gezwungen, Rollen zu spielen, die wir nicht fühlten; nach Worten zu suchen, die wir nicht kannten.«[23]

In ihren Romanen fand sie Möglichkeiten, diese Konventionen aufzubrechen. Hartnäckig vertrat sie die Ansicht, dass der wesentliche Moment nicht »hier« stattfindet, wo die Gesellschaft ihn verlangt, sondern »dort«, wo wir ihn am wenigsten erwarten. Wir empfinden Gefühle nicht zu einem vorgegebenen Zeitpunkt und auf Befehl hin. Virginia Woolf legitimierte Empfindungslosigkeit, sie war sich bewusst, dass Menschen oft seltsam und verzögert auf ein Ereignis reagieren, und war überzeugt, dass Erfahrungen individuell sind. Doch mit dreizehn fühlte sie sich bedrängt und überfordert.

2

ÜBERLEBEN: 1896–1904

In den Monaten nach dem Tod ihrer Mutter war Virginia Stephen übernervös und erregt, ihr Puls raste. Besorgt konsultierten Leslie und Stella mehrere Ärzte, die empfahlen, Virginia solle keinen Unterricht mehr erhalten und sich Ruhe gönnen, aber es war eine rastlose Ruhe. Die Anspannung wich nicht von ihr. Gegen Ende ihres Lebens, das immer wieder von monate- und jahrelangen Phasen der Krankheit gezeichnet war, nannte Virginia Woolf diesen Zustand zwischen 1895 und 1896 ihren ersten »Zusammenbruch«.[1] Ihre Werke sollten dazu beitragen, diesem Wort eine ganz neue Bedeutung zu verleihen.

Am meisten wunderte sie rückblickend, dass sie in den zwei Jahren nach Julias Tod zwar unendlich viel las, aber selbst nichts schrieb. »Ich hatte die Lust verloren; die ich mein ganzes Leben lang gehabt habe, mit dieser zweijährigen Unterbrechung...«[2] Es sollten noch andere Zeiten kommen, in denen sie nicht schreiben konnte. Wenn ihr beredsames und erstaunlich lebhaftes Tagebuch verstummt, wie es über Monate hinweg immer wieder der Fall ist, dann war Virginia Woolf schlicht nicht in der Lage, ihre gewohnten sprühenden Kommentare zur Welt um sich herum abzugeben, oder die Ärzte hatten es ihr verboten. Weil wir nur wenige Aufzeichnungen von ihr selbst über ihre Zusammenbrüche kennen, müssen wir uns auf die Berichte anderer verlassen, um auch nur zu ahnen, was sie durchmachte, sowie auf das, was sie in ihren Werken über seelische Störungen schrieb.

Die meisten, wenn auch beileibe nicht alle Symptome deuten auf manische Depression hin, die heute gemeinhin als bipolare affektive Störung bezeichnet wird.[3] Virginia Woolf kannte Momente intensivster, ekstatischer Sensibilität und überwältigende Empfindungen, die rasch umschlagen konnten, Phasen großer Angst, sich öffentlich zu exponieren, und die Erschöpfung, wenn sie sich in Phasen nervöser Energie verausgabt hatte. Das war die Krankheit, die Teil ihres Lebens werden sollte, die Krankheit, die sie stets im Auge behielt und eingehend beobachtete, die sie hasste und durch die sie sich durchkämpfte, die sie auf eine unbestimmte Art aber auch faszinierte. Heute nehmen Millionen von Menschen stimmungsstabilisierende Medikamente, um die Extreme von Manie und Depression abzufedern. 1896 konnte nichts weiter verordnet werden als Ruhe und Beruhigungsmittel, die die Symptome möglicherweise noch verstärkten. Sollte Virginia diese Phase nicht überwinden, läge eine erschreckende Zukunft vor ihr; ihre Halbschwester Laura sollte den Großteil ihres Lebens undiagnostiziert in verschiedenen Nervenheilanstalten verbringen. Wahnsinn war Virginia Stephen nicht fremd, sie hatte große Angst davor und wehrte sich dagegen. Deshalb suchte sie nach einem eigenen Weg zu überleben.

Dass ihre Genesung voranschritt, wird ersichtlich aus dem Tagebuch, das sie an Neujahr 1897, kurz vor ihrem fünfzehnten Geburtstag, zu führen begann. 1897 ist das am besten dokumentierte Jahr ihrer Kindheit und Jugend, schließlich hielt sie tagtäglich die Freuden und Widrigkeiten des Lebens in Hyde Park Gate fest. Am häufigsten liest man den Satz: »Nessa ging zum Zeichnen.« Mit diesen Worten beginnt der Eintrag zu jedem Tag, an dem Vanessa vormittags den Malunterricht in einer Kunstschule besuchte. Virginia setzt ihr Leben in dieser einsamen Zeit in Bezug zur Abwesenheit ihrer Schwester.

Ihre Brüder waren auf dem Internat, sie als Einzige blieb zurück. Aber sie hatte ihre eigene Arbeit zu tun.

Mittlerweile durfte Virginia wieder Unterricht nehmen und bekam Privatstunden in Griechisch. Zwischen zehn und dreizehn Uhr saß sie in ihrem Zimmer und las Bücher, die ihr Vater ihr aus seiner Bibliothek lieh. Ganz bewusst wollte Leslie seine jüngere Tochter an seinen Beruf als Historiker und Biograph heranführen, weshalb ihre Lektüre vorwiegend aus James Anthony Froude, Thomas Babington Macaulay und Thomas Carlyle bestand. Die las sie mit atemberaubender Geschwindigkeit und erbat sich jeden Tag ein neues Werk, so dass ihr Vater sie manchmal mit der Aufforderung fortschickte, sich mehr Zeit zu lassen und die Lektüre vom Vortag zu wiederholen.

Am Nachmittag gab es Besorgungen zu erledigen, oder Virginia ging mit Stella oder Vanessa in die Stadt, und bei solchen Ausflügen setzten sie sich häufig zu Tee mit süßen Brötchen in einen ABC Teashop.[4] Es war die typische Kindheit und Jugend eines jungen Mädchens der oberen Mittelschicht, mit Besuchen, Pflichten und kleinen Zerstreuungen. Jede freie Minute aber verbrachte Virginia Stephen mit Lesen. Neben den Vormittagsbüchern gab es »Bücher fürs Abendessen und für zwischendurch«, sogar eigens Bücher fürs Haarebürsten.[5] Dann nahm sie noch ein Buch mit ins Bett, obwohl das eigentlich nicht erlaubt war. Ihr »verbotenes nächtliches Lesen« musste heimlich stattfinden; sobald sie jemanden kommen hörte, steckte sie das Buch weg.[6] Diese Verstohlenheit gehörte unabdingbar zur Verführung durch die Literatur.

Und Verführung ist in der Tat der passende Begriff. Virginia nahm Bücher gern in die Hand, sie wollte den Einband und die Schrift spüren. Und sobald sie sich zwischen die Buchdeckel vertiefte, tauchte sie in ganz neue Gefühlsabenteuer ein.

Adrian und Virginia Stephen 1900 auf Urlaub in Fritham. Das Verhältnis der beiden war nie ganz entspannt und lässt sich nur schwer genauer bestimmen, da ihre Briefe nicht erhalten sind. Als die beiden Geschwister nach dem Tod ihres Vaters einige Jahre zusammenwohnten, ärgerten sie sich häufig übereinander. Virginia bemitleidete ihren Bruder wegen seiner scheinbaren Sensibilität, und erst als Adrian sich mit über vierzig Jahren einen Namen als Psychoanalytiker gemachte hatte, glaubte sie, dass er zu sich gefunden habe.

Beim Lesen war sie immer alleine, aber die Leidenschaft, mit der sie es tat, hing mit ihrer Leidenschaft für andere Menschen zusammen. Als Leslie ihr zum Geburtstag das zehnbändige *Leben Walter Scotts* schenkte, war sie hingerissen von der Schönheit der Bücher und beglückt von der Achtung, die ihr Vater mit dem Geschenk zu erkennen gab. Abgesehen davon war Lesen ganz praktisch und buchstäblich ein Mittel, um zu überleben. Virginia lernte, durch Lesen im Gleichgewicht zu bleiben, wenn sie die »Erregung«, die »Unruhe« und die Stimmungsumschwünge spürte, die ihre Krankheit ausmachten.[7] Es war eine notwendige Erfahrung, denn vor ihr lagen schwierige Zeiten.

Im April 1897 heiratete Stella ihren langjährigen Verehrer Jack Hills. Leslie war entsetzt ob der Vorstellung, sie könnte die Familie verlassen, denn er befürchtete nicht zu Unrecht, der Haushalt würde ohne sie auseinanderbrechen. Das Paar zog schließlich in die unmittelbare Nachbarschaft, so dass Stella weiterhin eine zentrale Stütze für die Stephen-Kinder bleiben konnte. Es war ein umsichtig ausgehandelter Kompromiss, der für Stella eine große Belastung darstellte, aber die nächste Katastrophe ereignete sich schon kurz darauf: In den Flitterwochen erkrankte Stella schwer, drei Monate später war sie tot. Wieder hatten die Stephen-Kinder ihre mütterliche Bezugsperson verloren, wieder blieb Leslie ohne die weibliche Hilfe und Zuwendung zurück, ohne die er offenbar völlig hilflos war.

Unterdessen widmete Virginia sich eifrig ihrem Tagebuch, ohne allerdings bei ihrem Unglück zu verweilen. Vielmehr beschrieb sie in geistreichen Schilderungen ihre Umgebung, wobei sie mit ihrer Meinung nicht hinter dem Berg hielt. Das war ihre Art, den Kopf über Wasser zu halten. Die tagtägliche Routine der Spaziergänge, der Besuche, des Tees und der sü-

ßen Brötchen mochte zwar eintönig sein, aber all das schrift-
lich festzuhalten half ihr, sich »weiterzuschleppen«.[8] »Leben
ist nicht leicht –«, schrieb sie im Oktober, »man bräuchte eine
Haut wie ein Rhinozeros – & die hat man nicht.«[9] Diese dicke
Haut sollte sie sich immer wieder wünschen, nur 1937 stellte
sie einmal kurzzeitig mit Genugtuung fest, dass die Kritiken
zu *Die Jahre* sie nicht mehr berührten, »als kitzele man ein
Rhinozeros mit einer Feder.«[10] Meist hatte sie das Gefühl,
allzu dünnhäutig zu sein, so dass schon die zarteste Feder sie
zu kitzeln vermochte, und beständig glaubte sie, Stromschlä-
ge versetzt zu bekommen, unter denen sie zusammenzuckte.

Zu den schlimmsten Folgen von Stellas Tod gehörte, dass
sich das Verhalten ihres Bruders George Duckworth abrupt
änderte. Mittlerweile war er Anfang dreißig und wollte die Rolle
des Familienoberhaupts einnehmen. Sicher tat er für die Ste-
phen-Schwestern das in seinen Augen Richtige; er ging mit
ihnen aus und führte sie in die Gesellschaft ein, beschenkte
sie und stellte theatralisch seine Zuneigung zu ihnen zur
Schau. Diese Zuneigung wurde allerdings nur halbherzig er-
widert. Zwar mochte Virginia ihren Halbbruder ganz gern
(sie war mit dem »liebsten Georgie« aufgewachsen, und als er
1934 starb, ging für sie das »Funkeln« der Kindheit mit ihm
unter), doch gleichzeitig verachtete sie ihn.[11] Sie und Vanessa
empfanden seine Dummheit als unerträglich, ebenso empörte
sie die Ungerechtigkeit, von einem geistig beschränkten so-
zialen Aufsteiger bevormundet zu werden, der nicht die min-
deste Ahnung hatte von dem, was ihnen wichtig war. George
wollte Virginias Liebe erzwingen, und dann geriet das, was er
unter »Liebe« verstand, außer Kontrolle.

Schon als sie sechs oder sieben gewesen war, hatte Gerald,
ihr anderer Halbbruder, Virginias Körper intim erforscht.
Sie erinnert sich, »dass es mir widerstrebte, dass ich es nicht

mochte – wie lautet das Wort für ein so dumpfes und zwie-
spältiges Gefühl?«[12] Mit diesem Erlebnis erklärte sie die Scham,
die sie, ihrer Schönheit zum Trotz, ihr Leben lang wegen ihres
Körpers empfand. Spiegel machten sie nervös, sie hatte nie
ein unbefangenes Verhältnis zu Kleidung. Georges Aufdring-
lichkeiten zogen sich über einen sehr viel längeren Zeitraum
hin, nämlich von 1897 bis 1904, aber wir wissen nicht, was
genau vor sich ging und wie oft es geschah. Und wir haben
nicht die geringste Vorstellung davon, inwieweit diese Über-
griffe Virginias Leben und Werk prägten, obwohl sehr viel zu
diesem Thema geschrieben worden ist.[13] Wir müssen uns auf
das beschränken, was sie in späteren Lebensphasen selbst darüber schrieb, nämlich in den autobiographischen Skizzen von
1908 und 1939, in einigen wenigen Briefen sowie zwei Texten,
die sie in den Zwanzigerjahren im Memoir Club des Bloomsbury-Kreises vorlas und deren Absicht es war, die Zuhörer zu
unterhalten und ihre Neugier und Phantasie zu wecken. Obwohl »Bloomsbury« mit Stolz auf seine sexuelle Freimütigkeit
verwies, wird in keinem der beiden Texte explizit ausgesprochen, was George getan hatte, wenn er nachts zu Virginia ins
Zimmer schlich und ihr verbot, das Licht anzumachen.

Weit ausführlicher als über seine Sexualität äußerte Virginia sich über seine Dummheit. Die körperliche Zudringlich-
keit war für sie mit einer drohenden geistigen Benommen-
heit und Dumpfheit verbunden. Aus dem Wunsch heraus, ihr
Grauen vor George kleinzureden, machten sie und Vanessa
ihn zur Witzfigur und überzogen ihn mit Spott. Er habe eine
»animalische Energie«, schrieb Virginia 1908, aber nicht genügend Verstand, um diese zu kontrollieren: »Und so erlaubte er sich im Namen der Selbstlosigkeit, Dinge zu tun, die ein
klügerer Mann tyrannisch genannt hätte; und, fest überzeugt
von der Reinheit seiner Liebe, benahm er sich kaum besser

als ein Rohling.«[14] 1921 konnte sie ihren Vortrag vor dem Memoir Club mit einem provokanten Seitenhieb beenden: »Ja, die alten Damen von Kensington und Belgravia ahnten nicht, dass George Duckworth nicht nur Vater und Mutter, Bruder und Schwester für diese armen Stephen-Mädchen war; er war auch ihr Liebhaber.«[15] Welchen Tonfall müssen wir uns hier vorstellen? Sollten die Zuhörer bei diesem dramatischen Schluss einer geistreichen Geschichte über Georges Snobismus und Lächerlichkeit lachen? Virginia Woolf erprobte auch ihre eigenen Reaktionen, spielte mit den verschiedenen Nuancierungen, mit denen sie das Vorgefallene anderen – und sich selbst – schildern konnte.

Zeitlebens verband sie die in der Dunkelheit erlittenen Demütigungen mit der öffentlichen Demütigung, die sie empfand, wenn George sie in die von ihm so verehrte höhere Gesellschaft ausführte. Nachdem Vanessa genügend Abende an Georges Arm durchlitten und ein Machtwort gesprochen hatte, wandte er sich an Virginia, die sich versuchshalber den Lustbarkeiten der besseren Kreise aussetzte. Es gab Bälle und Dinnerpartys, Tand und Titel und den immensen Reichtum der spätviktorianischen Aristokratie. So sehr Virginia äußerlich dem Rahmen entsprach, so wenig fügte sich ihre Konversation ein. Auf Fragen hätte sie kurze, verbindliche Antworten geben sollen, stattdessen sprach sie von Plato, erkannte dann, dass sie die Regeln gebrochen hatte, errötete, verstummte und verzweifelte. In ihren Tagebucheinträgen über derartige Geselligkeiten behauptet sie zwar, beim Small Talk sei sie hoffnungslos, aber man mag kaum glauben, dass sie derartige Situationen nicht mit geistreicher Bravour hätte meistern können.[16] Hätte sie die verlangte Rolle gespielt, hätten diese Kreise ihre Welt werden können. Doch sie lehnte die Rolle ab.

Als dreißig Jahre später namhafte Gastgeberinnen wie Lady Sibyl Colefax die gefeierte Schriftstellerin bestürmten, doch an dieser oder jener Gesellschaft teilzunehmen, gab Virginia Woolf sich gern spröde. Nach den peinlichen Auftritten an Georges Seite war es für sie eine erfreuliche Entwicklung, jetzt als eigenständige Person und zu ihren eigenen Bedingungen als Mittelpunkt einer Veranstaltung eingeladen zu werden. Immer wieder klagte sie darüber, bei derartigen Festen Zeit zu vergeuden, andererseits bargen solche Anlässe für sie durchaus einen eigenen Reiz. Fasziniert registrierte sie die Rituale der Partys, der Sinn all der Oberflächlichkeiten entging ihr nicht. Bei Festen verhielten sich die Gäste auf eine Weise, die ihren eleganten Seidenkleidern entsprach, wie schon die einundzwanzigjährige Virginia bemerkte: »zwei oder drei Stunden lang, so hat eine bestimmte Anzahl von Menschen beschlossen, würden sie sich nur von ihrer seidigen Seite zeigen.«[17] Ihr war bewusst, dass Partys jenseits dieser unausgesprochenen Übereinkunft eine eigene Realität und Tiefe besaßen. »[E]s war möglich, Dinge zu sagen, die man sonst nicht sagen konnte, Dinge, die eine Anstrengung erforderten; möglich, viel tiefer zu gehen«, denkt Clarissa in *Mrs. Dalloway,* dem Roman, in dem Virginia Woolf die erfolgreiche Dame der Gesellschaft würdigt, die sie selbst niemals war.[18] In ihren Augen stellte eine gut komponierte Abendgesellschaft eine Art Kunst dar – zwar nicht ihre Art von Kunst, aber doch eine, die sie honorieren konnte, selbst wenn sie in Gestalt des Septimus Warren Smith das schreckliche Gefühl exponierter Hilflosigkeit schilderte, das sie auf den Gesellschaften in Begleitung von George empfunden hatte.

Zwar entsprach es nicht ganz der Wahrheit, doch in Virginia Woolfs Erinnerung hatte vor Julias Tod im Großen und Gan-

zen reinstes Glück geherrscht und danach reinstes Unglück.
Später bezeichnete sie die Jahre zwischen 1897 und 1904, also
ihre ganze Pubertät von fünfzehn bis zweiundzwanzig, als die
»sieben unglücklichen Jahre«, aber einige Freuden gab es dennoch.[19] So bestanden zwischen ihr und Vanessa eine große
Vertraulichkeit und ein tiefes Verständnis, die das Familienleben erträglich machten. Außerdem schloss Virginia in dieser
Phase viele Freundschaften. Großzügige, vielfältige und lei-
denschaftliche Freundschaften bildeten einen wesentlichen
Bestandteil ihres Lebens, und in diesen Jahren begannen nun
ihre intensiven Beziehungen zu anderen Frauen. Von ihren
Cousinen Emma und Madge Vaughan sowie von ihrer Lehrerin Janet Case bekam sie die so dringend benötigte Zuwendung, und sie ihrerseits gab ihnen die überwältigende Zuneigung, die zu verschenken für sie so wichtig war.

Auch Familienurlaube fanden nach wie vor statt. Nach
Julias Tod konnte Leslie den Gedanken zwar nicht ertragen,
wieder nach St. Ives zu fahren (im Gegensatz zu Mr. Ramsay, der zurückkehrt, um den aufgeschobenen Ausflug zum
Leuchtturm zu machen; diesen Akt der Versöhnung musste
Virginia ihrer Vorstellungskraft überlassen), aber jedes Jahr
mietete er für den Sommer ein Haus auf dem Land. Diese
Häuser regten Virginias Phantasie nie mehr in demselben
Maße an wie Talland House, sinnliche Erinnerungen blieben
trotzdem. Die Entomologische Gesellschaft der Familie – Prä-
sident: Leslie Stephen, Schriftführerin: Virginia Stephen – ging
im Dämmerlicht immer noch ihrer Aufgabe nach, Nachtfalter
zu fangen. Virginia erlebte weiterhin den Zauber eines von Fa-
ckeln erleuchteten Gartens, das Ritual, erwartungsvoll Baum-
zweige mit Zuckersirup zu bestreichen, die Schönheit der In-
sekten, die kurz im Lichtstrahl aufschimmerten. In Warboys
in Cambridgeshire fiel eines Sommerabends 1899 das Later-

nenlicht auf ein Rotes Ordensband, und Virginia fing es nicht
nur mit dem Sirup, sondern auch in ihrem Tagebuch ein.

Im schwachen Schein sahen wir den riesigen Eulenfalter – die Flügel
wie in Ekstase geöffnet, so dass das leuchtende Rot der Hinterflügel
sichtbar war –, seine Augen glühten rot, den Rüssel hatte er tief in den
Sirup getaucht. Einen Moment bestaunten wir seine Prächtigkeit,
dann entkorkten wir die Flasche.[20]

Allein oder in Gesellschaft unternahm Virginia lange Rad-
touren, lief Schlittschuh im Winter und machte häufig ausge-
dehnte Wanderungen, womit sie sich als wahre Tochter des
Alpinisten Leslie Stephen erwies, dessen Ausdauer legendär
war. Selbst während dieser schwierigen »unglücklichen Jahre«
sah man sie oft auf dem Weg zum Griechischunterricht mit
großen Schritten den Kensington Square überqueren. Oder
sie verfasste die spitzzüngige Skizze eines durchreisenden
Würdenträgers, im Stil des 18. Jahrhunderts. Jeden Tag und
aus eigenem Antrieb widmete sie sich ihrem Bildungspro-
gramm, dank dessen sie es mit jedem Gelehrten und jeder
literarischen Größe aufnehmen konnte, die ihren Weg kreuz-
ten. Wann immer Thoby zu Hause war, unterhielt sie sich mit
ihm über Literatur und genoss das sehr, aber dann reiste er
wieder ab. Virginia wollte seine Meinung zu Shakespeare
hören, zu Marlowe und Sophokles, und sie wollte ihn ausste-
chen, aber:»O je, o je, immer dann, wenn ich in der Stimmung
bin, über solche Sachen zu reden, verschwindest Du nach
Cambridge.«[21] Sie setzte ihr privates Studium ohne ihn fort.
Im Alter von zwanzig Jahren beschäftigte sie sich mit griechischen Dramen, mit Reiseberichten der Renaissance und
Prosa des 18. Jahrhunderts und besuchte in der Frauenabtei-
lung des King's College so viele Vorlesungen wie nur möglich.

Thoby Stephen, Virginias älterer Bruder, Verbündeter und Vertrauter. Seine
Freunde aus Cambridge wurden später auch zu ihren Freunden, sein Bild
zieht sich durch all ihre Romane. Hier wurde er 1906 von George Beresford
photographiert, kurz bevor er nach Italien und Griechenland aufbrach.

Fast alle Texte, die Virginia Woolf als Erwachsene schrieb, sind auf die eine oder andere Art geprägt von dem Umstand, dass sie weder eine Schule noch eine Universität besucht hatte. Später stilisierte sie sich gern trotzig zur »Außenseiterin« und nutzte pointiert die unorthodoxe Sichtweise, die diese Warte ihr bot. Sie stellte sich auf die Seite des »gewöhnlichen Lesers« und kritisierte scharf den Dünkel und das Elitäre der akademischen Zirkel. Ihre Essays erinnern stilistisch eher an eine informelle Unterhaltung als an eine systematische Analyse, sie schweift lieber um ihr Thema herum und tastet es ab, als es bei den Hörnern zu packen, und als Literaturkritikerin schreibt sie vielfach lieber über die Eindrücke, Nuancen und die Textur eines Buches als über den bloßen Inhalt.[22]

Es kostete viel Zeit und Selbstvertrauen, eine derart unabhängige und individuelle Stimme zu entwickeln. Zunächst musste Virginia Stephen sich in literarischen Stilen üben. Dafür stellte sie sich selbst Aufgaben und füllte ihre Notizbücher »wie ein Maler seine Seiten mit Ausschnitten & Fragmenten füllt.«[23] Sie verfasste Wolkenstudien und Portraits, Ansichten von Gebäuden, Szenen bei Festen. Und sie sehnte sich verzweifelt nach jemandem, der das alles las und sie dafür liebte. Diese Person fand sie schließlich in Violet Dickinson, einer gütigen, intelligenten, mit knapp einsneunzig ausgesprochen großen, allgemein beliebten Frau, die viele Verbindungen hatte, zufrieden alleine lebte und siebzehn Jahre älter war als Virginia. Bei einem Besuch in Hyde Park Gate fiel Violet auf, dass den Stephen-Mädchen eine ältere weibliche Bezugsperson fehlte, eine besondere Nähe aber stellte sich vor allem zu Virginia ein. Ihnen beiden war bewusst, dass sie ihre Beziehung unablässig neu erfanden, sie gingen über die Grenzen einer sehr engen Freundschaft hinaus, wie sie damals zwischen Frauen üblich war, und hatten fast eine Art Liebesverhältnis.

»Ich habe keine Ahnung, wie man einer lieben Vertrauten schreibt«, erklärte Virginia, doch das änderte sich sehr bald.[24] In den Jahren 1902 und 1903 vibrierten ihre Briefe an Violet vor Sinnlichkeit. Häufig flossen einige Stellen ihrer neuesten Texte in den Liebesbrief mit ein. Wie auch in ihren späteren intimen Beziehungen erfand sie Tiergestalten, die ihr eine erotische Sprache des Liebkosens ermöglichten, mit der sie sich zärtlich anschmiegen konnte. Sie maß die Temperatur von Violets Briefen und verlangte, dass sie heißer würden.

Die zweite für Virginia Stephen in dieser Zeit wichtige Beziehung war die zu ihrem Vater, für den sie sehr starke, aber widersprüchliche Gefühle empfand. Er erkannte ihre Intelligenz und war überzeugt, dass ihr eine Zukunft als Schriftstellerin bevorstand. Andererseits hatte er sich seit Julias Tod in seinem Kummer vergraben und neigte zu Ausbrüchen von Selbstmitleid, wodurch in Hyde Park Gate eine klaustrophobische Atmosphäre herrschte. Seine Schwerhörigkeit verstärkte das Gefühl, dass er von der Welt abgeschnitten war und sie ihn ungerecht behandelte. Leslie Stephens Stimmung lässt sich erahnen, wenn man das in diesen Jahren entstandene *Mausoleum Book* liest.[25] Der Titel, den die Kinder den Memoiren ihres Vaters gaben, ist durchaus zutreffend: Das Buch ist eine Mischung aus Selbstvorwürfen, gepaart mit Rechtfertigungen und der Mythologisierung zweier verstorbener Ehefrauen. Es sollte einen Teil des Vermächtnisses an seine Kinder darstellen, obwohl nur wenige einen solchen Sack an Trauer und Schuldgefühlen als adäquates Erbstück betrachten würden. 1902 stellten die Ärzte bei Leslie eine Krebserkrankung fest. Sein Sterben zog sich über Monate und Jahre. Alles schien ewig weiterzugehen.

Dann, in einer Februarnacht 1904, starb Leslie Stephen, und das alles fand ein Ende. Vanessas Erleichterung war grenzenlos. Jahre später sagte Virginia, es sei ein Segen gewesen, dass er nicht bis ins hohe Alter weitergelebt habe. »Sein Leben hätte meinem ein absolutes Ende gesetzt. Was wäre passiert? Kein Schreiben, keine Bücher; – unvorstellbar.«[26] Es war die Erlösung, die es ihr möglich machte, ein eigenes Leben zu führen, aber beinahe wäre sie daran gestorben. Von April bis September war sie schwer krank. Auf den Rat hin, London zu verlassen, zog sie zu Violet nach Welwyn in Hertfordshire, wo sie mindestens einen Selbstmordversuch unternahm. Sie zürnte mit Vanessa, deren Lebensfreude sie angesichts von Leslies Tod als herzlos empfand.

Virginias Art, das Gleichgewicht wiederzufinden, bestand nicht darin, ihren Vater zu vergessen, sondern sich intensiv mit ihm zu beschäftigen. Der Historiker Frederic Maitland bat sie, ihn bei seinen Recherchen für eine Biographie Leslie Stephens zu unterstützen. So verbrachte sie den ganzen Herbst in Cambridge, wo sie Hunderte von Familienbriefen las und ins Reine schrieb. Zudem verfasste sie für die Biographie eine »Anmerkung«, über der sie wochenlang brütete, um nichts Falsches zu sagen.[27] Hier machte Virginia zum ersten Mal die Erfahrung, dass sie die Vergangenheit auf positive, überzeugende Weise verarbeiten konnte, indem sie darüber schrieb.

In London passierte unterdessen etwas bislang Unvorstellbares: Vanessa entrümpelte das Haus am Hyde Park Gate von den über dreißig Jahre hinweg angehäuften Besitztümern der Familie, von der gesamten Reliquiensammlung – Herbert Duckworths alte Anwaltsperücke, Blechkisten voller Briefe, Berge von Porzellan – und richtete für sich und ihre Geschwister ein Haus in Bloomsbury, das ihr gefiel, als neues Heim ein. Einen schrecklichen Moment lang sah es aus, als würde George ebenfalls dort einziehen, doch das blieb ihnen erspart:

Virginia und Leslie Stephen, aufgenommen von George Beresford im Dezember 1902. Virginia liebte und bewunderte ihren Vater, aber sie haderte
auch bis an sein Lebensende mit ihm, und bis an ihr Lebensende las sie seine
Bücher immer wieder und setzte sich in ihren eigenen mit ihm auseinander.

Er heiratete und ging eigene Wege. Im November kam Virginia für wenige Wochen nach London zurück, setzte sich an ihren Schreibtisch, auf dem ein großes neues Tintenfass stand, und bekam durch Violets Vermittlung ihren ersten Auftrag: Sie sollte für eine Kirchenzeitung namens *Guardian* einen Essay und mehrere Buchrezensionen schreiben. Sie richtete das Zimmer genau nach ihren Vorstellungen ein: »Meine ganzen geliebten ledergebundenen Bücher stehen adrett in den Regalen, ein schönes Feuer brennt, das elektrische Licht auch, und dazu Stapel von Manuskripten und Briefen.«[28] Es sollte das Zimmer einer richtigen Schriftstellerin werden.

Bester Laune fuhren die Geschwister Stephen für die Weihnachtstage nach Hampshire. Virginia schrieb lange, schwungvolle Briefe, in denen wieder ihre alte Sprachleidenschaft aufblitzte: »Wenn ich Feder und Tinte sehe, muss ich mich ihnen unweigerlich widmen, wie andere Menschen dem Gin.«[29] Am Neujahrstag 1905 schaute sie hoffnungsvoll zum Himmel. Er war hell und klar, »als hätten wir eine neue Seite aufgeschlagen & die Wolken vom Himmel gefegt.«[30] Sie spürte, dass sie vor einem neuen Anfang stand, und sagte sich sogar, sie könne den Frühling in der Luft riechen. »Ich möchte wie eine Dampfmaschine arbeiten«, schrieb sie an Violet.[31] Immer wieder griff sie Bilder auf, die ihr Vater verwendet haben könnte – Leslie verglich Carlyle mit einer Dampfmaschine und behauptete, es gefalle ihm, sich »intellektuell zu betrinken«[32] –, und sie wollte beweisen, dass auch sie das Zeug zur großen Essayistin und Denkerin hatte. Einige Tage später fuhr sie nach London zurück, um mit dem neuen Leben zu beginnen. Und am 10. Januar brachte die Post etwas sehr Befriedigendes: das Honorar für ihre erste Veröffentlichung. »Heute Morgen lag auf meinem Teller die erste Lohnzahlung – zwei Pfund, sieben Shilling, sechs Pence.«[33]

3

START INS LEBEN: 1905–1915

Das Haus am Gordon Square war geräumig und hell. Und da es keine Autoritätsperson gab, die Regeln aufstellte, konnte sich ein völlig neues Leben entfalten. Thoby und seine Freunde aus Cambridge saßen bis spät in die Nacht im Salon, Vanessa schwelgte im Gefühl der Befreiung. Vor dieser Kulisse wurde die sexuelle, gesellschaftliche und künstlerische Freiheit ausgelebt, die gemeinhin mit »Bloomsbury« in Verbindung gebracht werden sollte. Später sprach Virginia gern über diesen großen befreienden Moment. Der Gordon Square sei »der schönste, aufregendste, romantischste Ort der Welt« gewesen, berichtete sie dem Memoir Club in den Zwanzigerjahren und trug ihren Teil zur Legendenbildung bei: »Alles mußte neu, alles mußte anders sein. Alles wurde ausprobiert.«[1]

In den ersten Wochen und Monaten empfand sie das allerdings noch anders. Der Regent's Park hielt für sie dem Vergleich mit den Kensington Gardens nicht stand, und auch den neuen Freunden konnte sie wenig abgewinnen. Sie waren recht schweigsam, und wenn sie redeten, dann höchst abstrakt. Es war leicht, sie zu parodieren. So schrieb Virginia einmal, »bisweilen verschwinden sie in einer Ecke und lachen leise über einen lateinischen Witz.«[2] Sie glaubte, ganz anders zu sein, aber sie machte sich auch über sich selbst lustig. »Gestern Abend war ich bei einer Tanzgesellschaft«, schrieb sie Violet im Januar 1906. »Ich suchte mir ein dunkles Eckchen, wo ich in Ruhe *In Memoriam* lesen konnte.«[3] Auf diese kurze, bündige

Vanessa Bell, *The Bedroom, Gordon Square,* 1912. Als die Geschwister Stephen nach Bloomsbury zogen, waren sie überzeugt, dass »alles anders werden würde.« Zusammen mit den neuen Lebensweisen bildeten sich auch neue Kunstformen heraus.

Art brachte sie ihr Gefühl zum Ausdruck, am Rande einer
Welt zu stehen, in der sie sich eigentlich amüsieren sollte –
eine in ihrer Griesgrämigkeit komische Gestalt, die noch in
der viktorianischen Trauer verhaftet und sich der Ironie dessen nur allzu bewusst war.

Virginia Stephen beobachtete sich selbst und ihre Reaktion auf andere Menschen, sie wollte herausfinden, wann sie
Gesellschaft um sich haben und wie oft sie allein sein wollte.
Als sie im Sommer 1905 mit ihren Geschwistern wieder nach
St. Ives fuhr, erlebte sie mit ihnen noch einmal die Gefühle
ihrer gemeinsamen Kindheit. Doch am stärksten bewegten
sie einsame Wanderungen, wie ihr Vater sie so gern gemacht
hatte. Den Platz, den sie brauchte, eroberte sie sich ganz allein. »Die Schönheiten, die ich sehe, sind oft melancholisch &
sehr einsam«, schrieb sie.[4] Und sie fragte sich, weshalb die
Ausflüge in die schönsten Gegenden und zu den berühmtes-
ten Aussichtspunkten, die sie gemeinsam mit ihren Geschwistern unternahm, sie weniger anrührten. Schließlich wurde ihr
bewusst, dass die wirklich »besonderen Momente« für sie die
»plötzlichen, unerwarteten, heimlichen« waren.[5]

Die ersten Jahre in Bloomsbury brachten vor allem viel
harte Arbeit mit sich. Virginia lehrte am Morley College, das
sich damals im Old Vic in der Nähe von Waterloo befand, und
unterrichtete dort Erwachsene in Geschichte und Stilkunde.
Sie war immer nervös, selbst wenn sie den Stoff in- und auswendig kannte, und da sie sich nie mit Mittelmaß zufrieden
gab, bereitete sie ihre Stunden akribisch vor. Allerdings machte das Unterrichten ihr keinen Spaß, und letztlich war es die
journalistische Arbeit, mit der sie wirklich Erfolg hatte. Ihre
Fähigkeiten als Rezensentin sprachen sich herum, und Mitte
1905 zählte sie in ihrem Tagebuch stolz die vielen Artikel auf,
die sie geschrieben hatte: über George Gissing, Henry James,

49

William Thackeray, Charles Dickens, über Frauen, Straßenmusik, die Kunst des Essays.[6]

Langfristig hegte sie immer noch die Hoffnung, wie ihr Vater historische Werke zu schreiben, und ihre Tante Caroline, die sie stets ermutigte, schlug ihr eine Biographie Heinrichs VIII. vor. Später lachte Virginia über dieses Ansinnen, aber so ganz falsch hatte Caroline mit der Idee gar nicht gelegen. Wie dieses ungeschriebene Buch wohl ausgesehen hätte? *Orlando* mag den einen oder anderen Hinweis darauf geben. Zwar entschied sich Virginia Woolf schließlich dafür, Romane zu schreiben, doch suchte sie in all ihren Büchern nach unterschiedlichen Möglichkeiten, sich mit der Vergangenheit zu beschäftigen.

Bei den anspruchsvollen Auslandsreisen, die sie mit Freunden und Verwandten unternahm, fühlte sie sich der Geschichte am nächsten. Als sie mit ihren Geschwistern und Violet Dickinson Mykene besuchte, arbeitete sich ihre Phantasie archäologisch durch verschiedene Schichten vor. Immer wieder blitzte die Welt der Antike vor ihr auf. »Für eine Sekunde sah ich wie durch einen Spalt in eine immer größere Tiefe, viele Meilen unter meine Füße.«[7] Allerdings bedeutete die Reise für Virginia persönlich auch eine traurige Zäsur. Als die fünf nach England zurückkehrten, waren drei von ihnen bereits schwer krank. Violet fuhr mit Typhus nach Hause. Das Haus am Gordon Square wurde zu einem Lazarett, Thoby und Vanessa lagen unter ständiger Beobachtung oben im Bett. Krankenschwestern kamen und gingen, ängstlich sprach Virginia mit ihnen über Klistiere und Bettpfannen. Schließlich stellte sich heraus, dass auch Thoby Typhus hatte.

Diese Situation hatte Virginia schon einmal erlebt, aber jetzt lag die Verantwortung bei ihr, und sie war allein. Sie hätte gerne mit Violet gesprochen, die für sie nach wie vor die

»Mutter Wallaby« war, aber wenn sie der Freundin schrieb, was fast täglich der Fall war, galten ihre Zeilen einer Kranken, die jetzt selbst ihre Unterstützung brauchte. Also gab Virginia ihr lange, muntere, faktische Berichte über das Auf und Ab ihrer Patienten und sprach Violet aus der Ferne liebevoll Mut zu. Das Leben dieser drei Menschen, die Virginia am nächsten standen, schien auf fatale Weise ineinander verschlungen. Wenn einer von ihnen durchkäme, würden vielleicht alle überleben. Wenn nicht ... Aber den Gedanken gestattete sie sich nicht einmal zu denken.

Thoby starb am 20. November 1906 im Alter von neunundzwanzig Jahren. Virginia musste Briefe schreiben und seine Angelegenheiten ordnen, doch verfasste sie in den nächsten Monaten auch eine ihrer einfallsreichsten Fiktionen: In ihren Briefen an Violet war Thoby noch am Leben, trank Molke und Hühnerbrühe, las Kritiken und empfing Krankenbesuche von Freunden. Virginia befürchtete, die Wahrheit könnte die angegriffene Violet zu schwer treffen. Um die Freundin, und vielleicht auch sich selbst, zu schützen, ließ sie Thoby weiterleben. Und auch eine zweite Neuigkeit verschwieg sie Violet, weil sie diese in dem Moment selbst noch nicht akzeptieren konnte: Zwei Tage nach Thobys Tod hatte Vanessa Clive Bells Heiratsantrag angenommen, und man war übereingekommen, dass die beiden am Gordon Square wohnen würden, aber allein. Virginia würde sich ein eigenes Leben aufbauen müssen. All das fand aber in der Phantasiewelt ihrer Briefe nicht statt. Schließlich erfuhr Violet die Wahrheit und vergab Virginia ihre Lügen. Vielleicht hatte die gespenstische Fiktion ihnen beiden das Leben gerettet. »Es kommt mir vor, als wäre die Erde schrecklich kahl gefegt«, schrieb Virginia, und dieses Bild hat etwas von den griechischen Tragödien, die sie für immer mit ihrem verlorenen Bruder verband.[8]

Während Vanessa und Clive Bell in ihrem Leben als Ehepaar aufgingen, suchte Virginia nach einer Möglichkeit, allein ein glückliches Leben zu führen. Sie und Adrian zogen gemeinsam an den Fitzroy Square, aber sie hatten einander nie besonders nahe gestanden und gingen daher eigene Wege. Virginia arbeitete intensiv an ihren Rezensionen und machte regelmäßig Ausflüge aufs Land, streifte nach Herzenslust umher und gab in ihren Tagebüchern und Briefen sinnliche Schilderungen von ihren Erlebnissen. Ob in den Mooren Cornwalls, auf den Sussex Downs oder im »dunklen Eckchen« einer Party, überall experimentierte sie mit einer Identität als exzentrische, einsame Denkerin. Wollte sie eine solche werden? Sie sah eine lange ehelose Zukunft vor sich, die nur durch einen Erfolg als Schriftstellerin gerechtfertigt schien. »Ich sehe schon, dass ich meine Tage als Jungfrau, als Tante, als Autorin verbringen werde.«[9]

Nach der Geburt von Vanessas erstem Kind Julian im Februar 1908 kam sich Virginia im mütterlichen »Kreis der Glückseligkeit« ihrer Schwester mehr denn je wie ein Fremdkörper vor.[10] Als sich Vanessa mit Hingabe um ihr Kind kümmerte, fühlte auch Clive sich ausgeschlossen. Aus dieser Situation heraus kam es zu einem gefährlichen Flirt, der für alle Beteiligten ein verheerendes Ende hätte nehmen können. Später dachte Virginia mit Entsetzen an diese Monate zurück, doch zu jener Zeit schien es ihr unmöglich, nicht mit dieser neu gewonnenen Macht zu spielen. Sie ließ die Komplimente zu weit gehen, aber nicht in eine Affäre münden.

Nachdem Virginia sich aus dieser heiklen Situation befreit hatte, war es ihr ein Bedürfnis, die Vorteile ihrer Unabhängigkeit zu demonstrieren. Allein, aber nicht einsam verbrachte sie den Sommer 1908 in Manorbier in Wales. »Meist lande ich am Strand – ich suche mir ein Plätzchen, wo ich mich hinsetzen und in den Wellenformen Bilder entdecken kann.«[11] Sie bereitete sich auf eine Phase intensiver und konzentrierter Arbeit vor, denn sie hatte einen Roman begonnen, aus dem schließlich *Die Fahrt hinaus* werden würde. »Ich möchte diesen Herbst an meinem Pult stehen«, schrieb sie Clive, »und im Dunkeln beharrlich arbeiten.«[12]

Stilsicher inszenierte sie sich als verrückte Tante. Am Heiligen Abend 1909 beschloss sie mittags um halb eins, nach Cornwall zu fahren, und stürzte zum Bahnhof, um den Ein-Uhr-Zug zu erreichen. Am folgenden Tag – mehr als jeder andere des Jahres ein Tag der Familie – wanderte sie im Nebel über die Berge und schickte von dort lebendige Schilderungen ihres so gelungenen spontanen Ausflugs nach London. Fast übermütig berichtete sie ihrer Schwester, sie sei in Eile aufgebrochen, »ohne Taschentuch, Uhrenschlüssel, Notizpapier, Brille, Scheckbuch, Lupe und Mantel«, und sitze jetzt vergnügt in einem leeren Hotel vor dem Feuer.[13] Wie immer bescherte ihre Lektüre ihr die Modelle, an denen sie ihr Verhalten orientierte. An Weihnachten 1909 brauste sie »wie ein Expresszug« durch die mehrbändigen Memoiren der exzentrischen Lady Hester Stanhope, die achtundvierzig Katzen hatte, in Hosen durch Syrien ritt und »sich für den Messias hielt«.[14] Kurz kam sich Virginia selbst als moderne Lady Stanhope vor und gab sich Clive gegenüber einer flüchtigen Phantasie hin: »Was, wenn ich hier bliebe, wie eine frühgeschichtliche Jungfrau lebte und in Mainächten tanzte, [...] Julians skandalumwitterte Tante.«[15] Auf diese Weise versuchte sie sich scherzhaft und geistreich an künftigen Versionen ihrer selbst.

Am sehnlichsten aber wollte sie ihren Roman fertig stellen, doch dazu sollte sie den Großteil des Jahres 1910 nicht kommen. Ende Februar hatten ihre Anspannung und Rastlosigkeit einen Punkt erreicht, an dem sie jederzeit in Krankheit umzukippen drohten. Dr. George Savage empfahl ihr, London zu verlassen, und um Ruhe zu finden, unternahm sie mehrere Reisen. Im Juni mietete Vanessa ein Haus außerhalb von Canterbury, wo sie hoffte, ihrer Schwester beistehen und sie bei ihrer Genesung unterstützen zu können. Doch Ende des Monats war noch keine Besserung eingetreten. Virginia empfand sich als Last. Als Dr. Savage zu einer »Ruhekur« im Krankenhaus Burley Park in Twickenham riet, willigte Virginia ein, weil sie damit ihre hochschwangere Schwester entlasten würde und weil eine solche Kur – möglicherweise – Wirkung zeigen könnte. Zumindest schlug Virginia in ihren Briefen einen stoischen Ton an: »[Savage] sagt, er bestehe nicht auf absoluter Isolation, das heißt, ich werde wohl nicht so schlimm dran sein wie vorher.«[16] Es war trotzdem schlimm: Sie wurde zwangsernährt, durfte weder lesen noch Besuch empfangen und wusste überhaupt nicht, wann dieser Zustand ein Ende haben würde. Immer wieder prüfte sie ihr Gehirn, ob es wie eine Birne »reif« zum Pflücken sei, und im Spätsommer konnte sie das Krankenhaus endlich verlassen.[17] Den Herbst verbrachte sie zur Erholung in Cornwall und Dorset, ehe sie versuchshalber nach London zurückkehrte.

Dort kam sie gerade rechtzeitig zur Eröffnung der Ausstellung »Manet und die Post-Impressionisten«, im Freundeskreis gab es keinen anderen Gesprächsstoff. Organisiert hatte die Ausstellung Roger Fry, ein überschwänglicher Kunstkritiker mit großer Liebe zur modernen französischen Malerei, der wie ein Wirbelwind nach Bloomsbury hereingeweht war und Malerei ganz oben auf die Tagesordnung gesetzt hatte. Die Ausstellung wurde landesweit als Sensation gefeiert, Clive und Vanessa »brodelten vor Aufregung.«[18]

Virginia freute sich, war interessiert, und im Lauf der Zeit spiegelte sie diese Diskussionen über Kunst auf verblüffend eigenständige Art in ihren Romanen, aber sie empfand nicht dieselbe brodelnde Aufregung wie die Maler. Außerdem hatte sie zu der Zeit das Gefühl, dass die Bilder eher wenig mit ihr zu tun hatten. »Ich finde sie nicht so gut wie Bücher«, schrieb sie Violet.[19] Und sie empfand es als »dröge Pflicht«, sich beim post-impressionistischen Ball für die begeisterten Photographen als Gauguin-Muse zu verkleiden.[20] Ihr war nicht ganz klar, wie sie und ihr Schreiben in diese Szene passten. Sie bat Clive um seine kritische Meinung und ließ durch ihn Küsse an Vanessa ausrichten. Doch im Grunde sehnte sie sich nach dem Lob ihres Vaters. Sie schuf etwas, sie quoll über davon, aber sie wusste nicht, wem sie es geben sollte. »Oh, wem?«, fragt Rhonda in *Die Wellen* immer wieder, wenn sie mit ihren selbst gepflückten Blumen durch die Welt geht und sie verschenken möchte.[21]

Außerdem lastete großer Druck auf ihr zu heiraten. Virginia bekam nicht weniger als vier Anträge, doch sie konnte keinem der Männer, die um ihre Hand anhielten, ihr Leben widmen. Ihrem Freund Lytton Strachey sagte sie in einem unbedachten Moment im Februar 1909 »ja«, aber schon am nächsten Tag hatten sich beide eines Besseren besonnen. Virginia war sich bewusst, dass man Mutmaßungen über ihre Sexualität anstellte, und fühlte sich als Jungfrau befangen in ihrem Kreis – wozu die Freunde ihren Teil beitrugen. Es kam ihr vor, als würde jeder ständig ans Körperliche denken und darüber reden: Sex, heimliche Affären, Babys, Homosexualität, noch mehr Sex. Es waren Kleinigkeiten, in denen sich ihr Anderssein manifestierte: Als sie dem Maler Francis Dodd für ein Portrait Modell saß, war für sie klar, dass sie sich nicht ausziehen würde, während ihre Schwester und deren Künstlerfreunde sich nichts dabei dachten, nackt zu posieren.

Die Kleinigkeiten summierten sich. Madge Vaughan befand, ihr Schreibstil sei zu verträumt, ihm fehle es an »Herzblut«, was in Virginias Ohren wie ein Kommentar zu ihrer Keuschheit klang. Sie versuchte, die Kritik scherzhaft zu kontern: »Wenn mein Stil verlangt, dass ich heirate, werde ich es mir wohl überlegen müssen.«[22] Sie überlegte angestrengt, beobachtete aufmerksam ihre Schwester und spielte Ehe und Muttersein im Kopf immer wieder durch. »Übrigens«, schrieb sie mit Nachdruck an Vanessa, »ich habe mir genau vorgestellt, wie es ist, ein Kind zu bekommen.«[23] Sie musste beweisen, dass sie zu beidem fähig war, dabei wusste sie nicht einmal, ob sie auch nur eines davon überhaupt wollte. Im Alter zwischen Mitte und Ende zwanzig schienen alle Möglichkeiten offen.

Immer wieder probierte sie neue Formen des Wohnens aus. Irgendwann wurde der Wunsch, auf dem Land zu leben und in Ruhe lesen und schreiben zu können, so groß, dass sie sich für wenig Geld ein kleines Haus am Fuß der Sussex Downs mietete. Diese Landschaft sollte sie bis an ihr Lebensende lieben, die Gegend wurde zum Cornwall ihres Erwachsenendaseins, und der Kindheitserinnerung zu Ehren nannte sie ihr erstes Landhaus in Sussex »Little Talland House«. Im Herbst 1911 schließlich zogen sie und Adrian nach langen Gesprächen darüber, »wie sie leben und wohnen wollten«, vom Fitzroy Square an den Brunswick Square und gründeten dort eine Art Pension für Freunde und Bekannte.[24] Alles ging sehr demokratisch zu und war genauestens organisiert, es gab regelmäßige Essenszeiten – »die Tabletts werden pünktlich in den Eingangsbereich gestellt« –, und die Mieten waren gerade so hoch, dass sie die Unkosten deckten.[25] Für Angehörige der respektablen Mittelschicht war diese Lebensform höchst unkonventionell. Miss Stephen war nun die einzige Frau in einem Haus, das sie mit vier Männern teilte: John Maynard Keynes und Duncan Grant lebten als homosexuelles Paar im Erdgeschoss, Virginias Bruder (der Grants Geliebter gewesen war) im ersten Stock und ganz oben in den billigsten Räumen ein »mittelloser Jude«.[26] Schockiert erfand Violet Ausflüchte, um Virginia nicht dort besuchen zu müssen, und die honorigen Stephen-Verwandten waren besorgt, ignorierten aber die Umstände.

Es gab eine weitere Komplikation: Der Mieter unterm Dach war in die Hausherrin verliebt. Leonard Woolf war in Cambridge der beste Freund Lytton Stracheys gewesen und hatte auch zu Thobys Kreis gehört. Nach dem Studium hatte er eine andere Richtung eingeschlagen als seine Freunde und war unglücklich nach Ceylon aufgebrochen, um Karriere in der Kolonialverwaltung zu machen. Das System missfiel ihm, aber er machte seine Arbeit mit großem Erfolg, und zur kreativ beflügelnden Ablenkung schrieb er den Roman *Das Dorf im Dschungel*. Als er 1911 für ein Urlaubsjahr nach London zurückkehrte, stand er am Anfang einer erfolgreichen Laufbahn. Leonard hatte sich immer schon zu Virginia hingezogen gefühlt. Jetzt empfand sie genügend Vertrauen zu ihm, um ihm aus ihrem Roman vorzulesen, und die beiden unterhielten sich über die Vorstellungen, die sie jeweils von ihrem Leben hatten. Leonard wusste, dass er Virginia nicht nach Ceylon mitnehmen konnte, aber ihm wurde auch bald klar, dass er sie nicht zurücklassen wollte. Wenn er um ihre Hand anhielt, würde er auf seine Karriere verzichten – die einzige, die ihm offen stand – und ein immenses Risiko eingehen. Und wie würde sie überhaupt reagieren?

Voller Bedenken zögerte Virginia zunächst, doch im Frühling 1912 verbrachten sie und Leonard mehr Zeit miteinan-

Duncan Grant und John Maynard Keynes, 1912. Die beiden bewohnten zusammen das Erdgeschoss im Haus am Brunswick Square 38. Im ersten Stock lebte Adrian, im zweiten Virginia und ganz oben Leonard Woolf.

der, sowohl in London als auch in Asheham in Sussex, dem größeren und anheimelnderen Nachfolger von Little Talland House. Sie hatten es zusammen beim Wandern entdeckt: ein abgelegenes, romantisches Regency-Haus inmitten von Hügeln und Stille, vor den Fenstern erstreckte sich eine Schafweide. »Das Gras im Garten und auf der Weide schien fast bis zu den Zimmern und durch die Fenster hereinzuwachsen«, erinnerte sich Leonard später.[27] Beide verloren ihr Herz an das Haus.

Nach vielen vorsichtigen, tastenden Gesprächen und Briefen sagte Virginia Leonard im Mai schließlich, dass sie ihn liebe. Beide waren sehr aufrichtig miteinander. Virginia stellte klar, dass sie sich sexuell nicht zu ihm hingezogen fühle, sich die Ehe mit ihm aber dennoch als »etwas wunderbar Lebendiges« vorstellen könne, »immer voller Leben, immer heiß«.[28] Mit einfühlsamer, spielerischer Zuneigung planten sie ihre gemeinsame Zukunft, die geprägt sein würde von Arbeit, Gesprächen und Freiheit. Nach der Hochzeit im August 1912 in der Town Hall von St. Pancras fanden sie bald zu einem Rhythmus, nach dem sie abwechselnd in Asheham und in ihren Mietzimmern in London wohnten und den sie beide als »ideal« bezeichneten. Den Freunden, denen Virginia sich in ihren Jahren als alleinstehende junge Frau immer anvertraut hatte, schrieb sie unaufgeregt von ihrem Glück. Zwar empfand sie keine Leidenschaft für Leonard, war sich ihrer Gefühle für ihn aber sehr sicher. »Das Warten hat sich gelohnt«, schrieb sie ihrer früheren Lehrerin Janet Case.[29] Ein nicht geringer Teil ihres Glücks bestand in einer wesentlichen Tatsache: »Er hat einen Roman geschrieben, ebenso wie ich.«[30]

Dieser Roman, dieses »Werk der Vorstellungskraft«, an dem sie so viele Jahre geschrieben und das ihr beim Überarbeiten derart große Qualen bereitet hatte, war *Die Fahrt hinaus* (*The*

Voyage Out).[31] Bei der fraglichen »Fahrt« handelt es sich um die Reise der vierundzwanzigjährigen Rachel Vinrace, die in Begleitung ihrer Tante Helen von ihrem beschränkten, häuslichen Leben im englischen Richmond in ein exotisches, unbekanntes Land in Südamerika aufbricht. Die Reise ist, wenig überraschend, auch Rachels persönliche Reise in ein Leben als Erwachsene. Erstmals muss sie sich mit den Meinungen ihrer Mitmenschen auseinandersetzen und selbst entscheiden, was sie denkt, und als sie zum ersten Mal mit männlicher Sexualität konfrontiert wird, muss sie ihr eigenes Verlangen verstehen lernen.

Die Rahmenhandlung ist nicht gerade ungewöhnlich, doch in Virginia Woolfs Händen wird der Stoff uneindeutig und abstrakt, er entzieht sich dem Zugriff, spielt auf Dinge an, die nie Kontur annehmen, verweigert sich jeder klar erkennbaren Form. Die Heldin ist schwer auszuloten und stellt die Geduld des Lesers häufig auf die Probe, was provozierend wirkt. Meist ist Rachel derart still und unschlüssig, dass im Zentrum des Buches, wo wir eigentlich die Heldin erwarten würden, ein leerer Raum entsteht. In diesem Schweigen verbirgt sich Virginia Woolfs wütende Anklage gegen die den Frauen anerzogene Passivität, doch findet diese Wut kein direktes Ventil. »Bringt Sie das nicht auf die Palme?«, fragt Terence Rachel.[32] Er bezieht sich darauf, dass Frauen nie nach ihrer Meinung gefragt werden, aber wir hören nur die vage Antwort, die Rachel im Stillen gibt, und die wenigen versöhnlichen Bemerkungen, die sie tatsächlich über die Lippen bringt. Am Ende des Romans erkrankt sie an einem Fieber und stirbt, was wie ein abschließender, definitiver und rein körperlicher Kommentar erscheint, dessen genaue Aussage aber offen bleibt. Womöglich ist Rachel Vinrace eine Träumerin, die in der Tradition von Maggie Tulliver in George Eliots *Die*

Mühle am Floss nicht am Leben bleiben kann, vielleicht ist ihre Krankheit aber auch die erstarrte Ablehnung der Ehe. Andererseits könnte Rachels Tod auch einfach nur der willkürliche Tod eines Reisenden sein – ähnlich dem Tod Thoby Stephens nach der Rückkehr aus Griechenland –, der nicht als Urteil über sein Leben zu verstehen ist. Nicht alles in Virginia Woolfs Romanen hat etwas zu bedeuten, und genau das gehört zu ihren kühnsten Kunstgriffen.

In diesem ersten Roman spielt Virginia Woolf mit der Idee, etwas von sich selbst zu offenbaren. Schließlich schreibt sie von einer Frau, die ein klaustrophisches Zuhause verlässt, um neue Lebensweisen zu erkunden, kurz vor der Hochzeit steht und an einem Fieber erkrankt, durch das sie den Verstand verliert. Es erfordert ein gewisses Maß an verrücktem Mut, Rachel zu einer derart naiven und peinlichen Figur zu machen und eine Geschichte über die gesellschaftliche und sexuelle Unwissenheit einer jungen Frau zu schreiben – im Wissen, dass der Roman von einem Kreis weltläufiger, sexuell erfahrener Freunde gelesen wird. Virginia zeichnet in *Die Fahrt hinaus* kein romantisches Bild ihrer selbst, so sehr der Inhalt sich auch dazu angeboten hätte. Helen tadelt Rachel auf eine Weise, die wohl fast jeder Vierundzwanzigjährigen höchst unangenehm gewesen wäre: »›Ach Rachel‹, rief sie. ›Dich mitzunehmen, das ist so [sic!] als hätte man einen jungen Hund im Haus – so einen jungen Hund, der die Unterwäsche in die Diele hinunterschleppt.‹«[33] Obwohl Rachel also radikale Gedanken denkt, den Status quo der Mittelschicht verachtet und grundsätzliche Fragen stellen möchte, ist sie keineswegs die Heldin des Wandels, zu der Virginia Woolf sie auch hätte gestalten können. Ihr Umgang mit der besagten Unterwäsche entspricht nicht dem einer eleganten Bilderstürmerin à la Bloomsbury, sondern nur dem eines tollpatschigen Schoßhündchens.

Dora Carringtons Briefe an Lytton Strachey waren häufig bebildert. Diesen
schickte sie ihm im Januar 1917 von einem Aufenthalt bei den Woolfs in Sussex
und schrieb: »Wie du siehst, ist Asheham von Sonne umgeben.«

Mit großer Selbsterkenntnis geschrieben, beschäftigt sich der Roman vor allem mit dem »Nicht-Wissen«, sucht nach dem Wert des Intuitiven. Wenn Rachel, wie Terence meint, »wie ein Vogel« ist, »der halb schlafend im Nest sitzt«, dann ist genau das womöglich Teil ihrer Stärke.[34] Ihren letzten Halluzinationen geht eine betäubende Atmosphäre voraus, die auch schon vielen früheren Szenen zu eigen ist. Verschwommene Gestalten tauchen auf, oberflächliche Details verflüchtigen sich und lassen nur das zurück, was Rachel sieht: »Blöcke[n] fester Materie«, vor denen sich Menschen wie »Lichtflecke« bewegen.[35] Das birgt eine visionäre Qualität, und in Virginia Woolfs späteren Romanen entstehen aus derart abstrakten Wahrnehmungen heraus Momente überraschender Klarheit. Hier klingt noch eine apologetische Verträumtheit an, die eher Verwirrung als Klarheit stiftet. Allerdings erscheint die Verwirrung in *Die Fahrt hinaus* als eine bessere Methode, die Wahrheit aufzuschlüsseln, als die harten, grellen Gewissheiten, mit denen sie ständig konfrontiert ist.

Die Vorstellung, diesen Roman in die Welt hinaus zu entlassen, war erschreckend und beängstigend. Erschwerend kam hinzu, dass Virginia das Buch dem Verlag ihres Halbbruders Gerald Duckworth angeboten hatte. Er nahm das Manuskript an, doch damit begannen die Schwierigkeiten mit der Veröffentlichung eigentlich erst. Ein Jahr nach ihrer Hochzeit – allem Anschein nach ein glückliches, produktives Jahr – erlitt Virginia einen Zusammenbruch, den ersten von mehreren zwischen 1913 und 1915, die zu den schlimmsten ihres Lebens zählen sollten. Sie wurde nach Twickenham ins Krankenhaus gebracht, wollte unbedingt entlassen werden, doch kaum war sie entlassen, verschlimmerte sich ihr Zustand wieder. Am frühen Abend des 9. September 1913 nahm sie am Brunswick Square eine Überdosis Veronal. Geoffrey Keynes,

Leonard und Virginia Woolf in Asheham, 1914. »Er hat einen Roman geschrieben, ebenso wie ich.«

John Maynards Bruder, war Chirurg am St. Bartholomew's Hospital und fuhr Leonard im Eiltempo ins Krankenhaus, um eine Magenpumpe zu besorgen. Am Brunswick Square kämpfte dann eine ganze Schar Ärzte und Schwestern stundenlang um Virginias Leben. In dieser Nacht hätte sie leicht sterben können.

Das gesamte folgende Frühjahr hindurch war Virginia Woolf schwer krank. Leonard sorgte dafür, dass ihr Alltag in Asheham in ruhigen, gleichmäßigen Bahnen verlief, wogegen Virginia hin und wieder rebellierte, um die Routine dann wieder resigniert zu akzeptieren. Sie litt unter dem Gefühl, ihrer beider Leben zu verschwenden. Sie sei »dankbar und reumütig«, schrieb sie ihrem »liebsten Mungo.«[36] Sie war unendlich traurig. Die Genesung dauerte Monate, in denen Virginia sich mit großer Geduld beibrachte, ihre rasenden Gedanken auf langsame, monotone Tätigkeiten zu richten. Sie übernahm anspruchslose Tipparbeiten, sie widmete sich dem Garten, sie lernte kochen. Im März 1915 erschien schließlich nach langen Verzögerungen *Die Fahrt hinaus*. Doch Virginias Reaktion auf die Veröffentlichung ist uns nicht bekannt. Nur wenige Wochen zuvor hatte sie einen weiteren Zusammenbruch erlitten, den schlimmsten bislang. Sie war zu krank, um vom Erscheinen ihres Romans auch nur Notiz zu nehmen.

4

ERSTE GROSSE ERFOLGE: 1916–1922

»Ich glaube, ich bin schon allein deswegen glücklich, weil es so schön ist, wieder gesund zu sein.«[1] Das schrieb Virginia Woolf nach dreijähriger Krankheit im Februar 1916. Zwei fürchterliche Monate lang hatte sie sich geweigert, Leonard zu sehen, die Pflegekosten hatten all ihre Ersparnisse aufgebraucht – phasenweise hatten vier Pflegerinnen gleichzeitig im Haus gelebt, um sie zu versorgen –, und Leonard war am Ende seiner Kräfte. Durch die Zwangsernährung hatte Virginia zwanzig Kilo zugenommen, doch jetzt fand sie langsam wieder zu ihrer normalen Figur zurück. Und sie konnte anfangen, sich an Hogarth House zu freuen, dem neuen Zuhause in Richmond, das sie und Leonard in einer hoffnungsvollen Phase zwischen zwei Zusammenbrüchen entdeckt hatten.

Virginia hätte lieber im Stadtzentrum gewohnt, sah aber ein, dass die Weite und Ruhe von Richmond ihrer angegriffenen Gesundheit wohl zuträglicher waren. Und wenn sie schon am Stadtrand leben musste, hätte sie es kaum besser treffen können: Hogarth House war ein attraktives Backsteinhaus mit vielen Fensterreihen, großen, holzgetäfelten Räumen und hinten hinaus einem Blick über die Dächer zum botanischen Garten Kew Gardens. Der Bahnhof, von dem regelmäßig Züge nach London verkehrten, war in Fußnähe. In jenem Frühjahr freute sich Virginia an den einfachsten Dingen des Lebens, weil sie wusste, was es bedeutete, zu allem den Kontakt zu verlieren. Sie erholte sich nur sehr langsam, es gab auch

Rückfälle, doch waren sie weder so heftig noch so langwierig wie zuvor. Dazwischen nutzte Virginia jeden Moment, in dem sie Lebensmut empfand, um sich wieder in die Welt und ins Schreiben zu stürzen.

Zwischen 1916 und 1922 beendete Virginia Woolf zwei Romane *Nacht und Tag* und *Jacobs Zimmer*, die unterschiedlicher nicht sein könnten; man mag kaum glauben, dass sie von derselben Schriftstellerin stammen. Der erste schildert fast ausschließlich handfeste Einzelheiten aus dem Leben seiner Figuren und ausführliche Gespräche über komplexe Gefühle, alles ist minutiös festgehalten. Der zweite besteht aus einer Abfolge von Momenten, die jeweils mit wenigen aussagekräftigen Details umrissen werden, dazwischen stehen Lücken und Ellipsen: Es ist die experimentelle Biographie eines jungen Mannes und eine Elegie auf ihn. Mit *Jacobs Zimmer* schuf Virginia Woolf eine neue Form des Erzählens, in die viel Arbeit und Mühe geflossen waren, jahrelanges Lesen, Schreiben und Leben.

Anfangs kam Virginia Woolf mit *Nacht und Tag (Night and Day)* nur quälend langsam voran. Noch bettlägerig, durfte sie jeweils nur eine Stunde am Tag schreiben, und bei einem derart straff konzipierten Roman ist eine Stunde nicht allzu viel. Virginia plante ihn sowohl inhaltlich als auch formal bewusst als beruhigendes, therapeutisches Buch. Hier sollte es keine Fieberträume und Halluzinationen geben, wie Rachel sie in *Die Fahrt hinaus* erlebt, hier sollte es sich um eine Komödie handeln, nicht um eine Tragödie. Wieder steht im Mittelpunkt eine junge Frau, die ihr Schicksal in die Hand nimmt, aber dieses Mal würde es ein gutes Ende finden. Handwerklich konservativ gearbeitet, sollte der Roman alle Risiken für Virginia Woolf ausschließen. Jede Gestalt wird vor einem Hintergrund sorgsam ausgearbeitet, ehe sie sich in den gemächlichen Reigen der Paarungen und Dreiecke einfügen darf.

Später nannte Virginia Woolf *Nacht und Tag* ihre »Übung im herkömmlichen Stil«, als wäre der Roman die Grammatikprüfung, nach deren Bestehen sie die Regeln würde übertreten dürfen.[2] Zweifellos bedient sie literarische Konventionen und manipuliert sie ebenso gekonnt wie Jane Austen, die ihre Protagonisten gerade noch rechtzeitig vor dem Ende in den Hafen der Ehe steuert. Doch Etliches an diesem Roman ist alles andere als eine »Übung«. Virginia Woolf übte sich seit ihrem sechsten Geburtstag als Schriftstellerin. Mittlerweile war sie vierunddreißig, ihre ehrgeizigen Hoffnungen hatten sich alle noch nicht erfüllt – jetzt musste sie mit der Kür beginnen. *Nacht und Tag* ist ein Teil davon.

Es geht darin um die Frage, wie man leben soll, die Frage, über die Virginia Woolf sich intensiv mit ihren Geschwistern auseinandergesetzt hatte, als sie alle ihr erstes eigenes Zuhause einrichteten, und die sie sich immer noch stellte. Ihre Protagonistin Katharine Hilbery ist eine junge Frau von siebenundzwanzig Jahren, die sich langsam aus dem Schatten des literarischen Ruhms ihres Großvaters löst. Sie steht kurz davor, das alte viktorianische Haus mit seinen vielen Reliquien und Erinnerungen zu verlassen, aber liegt es wirklich in ihrer Macht, ihre Zukunft frei zu bestimmen? Ihre verschiedenen Vorstellungen vom Leben münden alle in die zentrale Frage, wen sie heiraten soll. Vor diesem Hintergrund führt das herkömmliche Motiv des Liebeswerbens zu einer ausgedehnten, leidenschaftlich geführten Debatte über die Möglichkeit, frei zu sein.

In Katharines und Ralph Denhams Beziehung zeichnen sich die Konturen von etwas Neuem ab. Tische und Stühle sind plötzlich nicht mehr so stabil, wie sie einst wirkten: »Sie waren wirklich, denn er faßte die Rückenlehne des Sessels an, in dem Katharine gesessen hatte, und doch waren sie unwirklich; es war die Atmosphäre eines Traums.«[3] Das scheinbar starre Lebensgefüge der englischen Mittelschicht erweist sich als nachgiebiger, wenn Katharine und Ralph sich ihm gemeinsam stellen. Immer wieder kommt es zu Momenten der Immanenz, beim Innehalten auf der Schwelle vor einem Haus, in der Abenddämmerung, kurz ehe die Straßenlaternen leuchten. Und es gibt viele Merkwürdigkeiten und Ungewissheiten, für die der »herkömmliche Stil« keinen Platz ließe: davonlaufende Gedanken, unerklärliche Symbole, auf Löschpapier hingekritzelte Zeichen, die sich ungebeten materialisieren und einer genauen Interpretation entziehen. Kurz vor dem Ende dann gerinnt das ganze ausufernde Buch zu einem schlichten, aber visionären Bild, das zum Kraftvollsten gehört, was Virginia Woolf je schrieb. Katharine geht mit Ralph durch die von Laternen erleuchteten Straßen: »ihr schien das gewaltige Rätsel beantwortet; das Problem gelöst; für einen kurzen Moment hielt sie die Kugel in ihren Händen, die aus dem Chaos zu formen – rund, glatt, makellos – wir uns ein Leben lang bemühen.«[4] Das ist der flüchtige Moment der Klarheit, zu dem alle Romane Virginia Woolfs hinstreben.

Aber das Buch endet nicht mit dieser vollkommenen Kugel. An den Schluss setzt Virginia Woolf vielmehr eine Hommage an das Leben, das Katharine abgelehnt hat, das jedoch im Hintergrund ruhig weitergeht und damit ihr Glück erst möglich macht. Katharine und Ralph blicken zu dem erleuchteten Fenster bei Mary Datchett hinauf – Mary Datchett, die ledige, unabhängige, berufstätige Frau. Die beiden beschließen, nicht bei ihr zu klopfen und sie zu stören. Mary hat zu arbeiten. Sie wird bis spät in die Nacht Bücher schreiben und Pläne machen. Das Paar schaut nicht mitleidig zum Licht

empor, sondern ehrfürchtig. Die Szene war ein Abschieds-
gruß von Virginia Woolf an Virginia Stephen, auch wenn sie
sich nie ganz von diesem Bild lösen würde. Wenn sie in späteren Jahren ihr eigenes, ihr karg erscheinendes, von Arbeit er-
fülltes Leben mit dem ihrer Schwester verglich, wie sie es
häufiger tat, tröstete sie sich mit der Vorstellung, sie würde
»voran [...] gehen, allein, durch die Nacht ...«[5]

Nacht und Tag war Virginia Woolfs Buch der Kriegszeit, und
sie beendete es mit der Aussicht auf Frieden im Herbst 1918.
Beim Schreiben hörte sie manchmal den Geschützlärm, den
der Wind von Nordfrankreich zu ihr herüber trieb. Das leise
Donnern des Todes war schwach, fern und schwer mit einem
wie auch immer gearteten Alltag zu vereinbaren. In *Zum
Leuchtturm* würde Virginia Woolf Andrew Ramsays Tod auf
dem Schlachtfeld in Klammern setzen, so dass er unwirklich
und weit entfernt erscheint. Die Distanz verstärkt noch den
Schock und unterstreicht die Sinnlosigkeit. Manchmal wurde
Virginia vorgeworfen, die großen Konflikte ihrer Zeit nicht
direkt genug angesprochen zu haben, doch handeln all ihre
Romane, die nach dem Krieg entstanden, von den Umwegen,
über die wir unsere Verluste begreifen.
    Der Erste Weltkrieg war für Virginia untrennbar mit ihrem
persönlichen Kampf gegen die Krankheit verknüpft. Wenn sie
von der Finsternis in der verdunkelten Stadt schreibt, von der
Hilflosigkeit, wenn man während eines Luftangriffs im Keller
kauern musste, von der befremdlichen Situation, dass sich eine
geordnete Welt gegen sich selbst verkehrt, vom Grauen un-
sichtbarer Mächte, die sich gegen einen zusammenscharen,
dann schreibt sie von kollektiven ebenso wie von persönlichen
Erfahrungen. In *Mrs. Dalloway* folgt sie den Gedanken von Septimus Warren Smith, einem Veteranen, der an Kriegsneurosen

leidet; halluzinierend sitzt er im Regent's Park und sieht, wo immer er hinblickt, stets dieselben Bilder aus dem Schützengraben. Seine Kriegsvisionen sind auch Halluzinationen des Wahnsinns – das eine ist vom anderen nicht zu unterscheiden.

Die Arbeit an *Nacht und Tag* war Virginia Woolfs langwieriger Versuch, ihrem eigenen »Wahnsinn« ein Ende zu machen (so wie sie auch Septimus schließlich ein Ende machen musste); die Mittel ihrer Kriegführung waren Mäßigung und Kontrolle. Im Großen und Ganzen folgte sie dem ärztlichen Rat, ein stilles, ruhiges Leben zu führen und diszipliniert zu essen. Das Schreiben wurde ihr ebenso rationiert, wie die Butter rationiert war. Es waren Jahre des Mangels, man lebte von einem Tag zum nächsten, die Angst war ein ständiger Begleiter. Leonard wurde gemustert, aber für wehrdienstuntauglich befunden. Das war einerseits eine Erleichterung, zeugte andererseits aber auch von den Folgen, die diese schwierigen Jahre für seine Gesundheit hatten.

Die Woolfs hielten sich vorwiegend auf dem Land in Asheham auf und versuchten, ein möglichst autarkes Leben zu führen. Das verlangte großen, kräftezehrenden Einsatz: Jeden Tag musste gejätet, Brot gebacken, mussten Gänse gehütet und Mäuse, Fledermäuse und Eichhörnchen vertrieben werden. Durch die praktischen Tätigkeiten und die häuslichen Sorgen kam Virginia ihrer Schwester immer näher. Vanessa hatte wenige Kilometer entfernt das Bauernhaus Charleston gemietet und sich dort mit ihrem neuen Partner Duncan Grant, der ebenfalls Maler war, ein Zuhause eingerichtet. Wann immer Clive der Sinn danach stand, wohnte er dort, und auch andere Freunde waren jederzeit willkommen, bei ihnen auf dem Land zu arbeiten. Die Atmosphäre in Charleston verblüffte Virginia stets aufs Neue. »Nessa hat der Zivilisation offenbar völlig den Rücken gekehrt und kleckst splitterfasernackt herum«, berichtete sie Violet, die das nicht guthieß, und beschrieb ihre Schwester stolz als »alte Gluckenmutter umgeben von Enten, Hühnern und Kindern.«[6] Die Vorstellung eines derart ausufernden Familienlebens entzückte Virginia, und sie gestand Vanessa, dass sie einem solchen Leben nachtrauerte. Aber die Pläne, die sie mit Leonard verbanden, waren völlig anderer Art.

Schon seit längerer Zeit überlegten die Woolfs, sich eine kleine Druckerpresse zu kaufen, und im März 1917 hatten sie schließlich genügend Geld zusammengespart. Sie verbrachten endlose Stunden damit, sich das Drucken selbst beizubringen; wochenlang machten sie Fehler und mussten viele Seiten mehrfach setzen. Aber beide waren beglückt über die produktive Unabhängigkeit, die sie dadurch bekamen. Virginia wurde bald zur Schriftsetzerin ernannt, weil Leonards Hände zu stark zitterten. Die Arbeit erforderte Geduld und Akribie (genau das Gegenteil von Vanessas »Kleckserei«), aber Virginia fand sie befriedigend: eine handfeste und zugleich sinnvolle Therapie.

Letztlich gab ihr die Presse beim Schreiben eine völlig neue Autonomie. Die Freiheit, was immer sie schreiben wollte, selbst zu veröffentlichen, berauschte sie, und in diesem Rausch schuf sie eine Reihe sprudelnder, sich überstürzender Kurzgeschichten, die fast aus dem Nichts entstanden und ins Blaue hinein fabulieren. Was gibt es über ein unbestimmbares »Mal an der Wand« zu sagen? »Jede Menge«, lautet die Antwort, und sogleich entspinnt Virginia Woolf Phantasien darüber, wie dieses Mal dorthin gelangt ist. Das Mal selbst tut so gut wie nichts zur Sache (am Ende entpuppt es sich als Schnecke) – es kommt nur darauf an, was die Gedanken daraus machen können.[7] In diesen Kurzgeschichten vollzieht Virginia Woolf endgültig den Übergang von äußeren Tatsa-

Vanessa Bell mit Duncan Grant in Asheham, 1912. Sie malten zusammen
und begeisterten sich gemeinsam für die Ausstellungen der Post-Impressionisten. Im Lauf der Zeit verliebten sie sich und begannen eine Beziehung, die
bis an ihr Lebensende hielt.

chen zum Innenleben: Gedanken werden zu den eigentlich wichtigen Fakten. Die Erzählerin von »Ein ungeschriebener Roman« etwa sitzt im Zug einer Frau gegenüber und erfindet deren Biographie, schildert die Einzelheiten eines einsamen Lebens voller Enttäuschungen, die ihren traurigen Gesichtsausdruck erklären könnten.[8] Der Zug fährt in Eastbourne ein, die Frau steigt aus, wird von ihrem Sohn begrüßt, und die beiden gehen munter plaudernd davon. Die Erzählerin kennt die Frau nicht, kann sie gar nicht kennen. Menschen lassen sich nicht durch das erklären, was wir von außen wahrnehmen. Uns bleibt nichts anderes übrig, als immer weiter zu rätseln.

Es ist kein Zufall, dass die Jahre des Übergangs, in denen Virginia Woolf neue narrative Formen entwickelte, eben die Jahre waren, in denen sie sich das tägliche Tagebuchschreiben angewöhnte. Zuvor hatte sie, wie viele Menschen, im Januar oft mit dem guten Vorsatz angefangen, die Ereignisse des Tages aufzuzeichnen, und im Urlaub auch ein Reisetagebuch geführt. Doch das Tagebuch, mit dem sie im Oktober 1917 begann, führte sie bis an ihr Lebensende. Zuerst waren die Einträge kurz und knapp, doch bald wurden sie immer ausführlicher. Schilderungen von Personen nahmen ein Eigenleben an, Sätze verdoppelten und vermehrten sich, als wäre deren Rationierung gerade aufgehoben worden. Eine Weile schrieb Virginia jeden Tag vor der Teestunde, was sich aber als problematisch erwies – sie wollte doch über die Menschen schreiben, die zum Tee kamen. Also gewöhnte sie sich an, zur Feder zu greifen, sobald die Besucher gegangen waren.

Sie sah ihr Tagebuch nicht als Hort intimer Gedanken. Im Gegenteil, immer wieder bat sie Leonard um Beiträge, obwohl sein eigenes knappes, nüchternes Tagebuch anschaulich vor

Clive Bell mit Julian, Quentin und Angelica, gemalt von Vanessa Bell. Vanessa heiratete den Kunstkritiker Clive Bell im Jahr 1907. Beide hatten auch andere Beziehungen, ließen sich aber nie scheiden, und Clive war regelmäßig in Charleston zu Gast, wo er auch ein eigenes Zimmer hatte. Vanessa und Clive erzogen die drei Kinder als ihre eigenen, obwohl Angelica Duncan Grants Tochter war.

Augen führt, weshalb ein gemeinsames Buch nie funktioniert hätte. Virginia Woolf stellt sich vor, dass sie die Aufzeichnungen für ihr älteres Selbst schreibt, sie führt Gespräche mit ihrem fünfzigjährigen Ich. Zudem ist sie sich mit wachsendem Ruhm zunehmend bewusst, dass ihr Tagebuch sehr wohl auch von anderen Augen gelesen werden könnte. Bei ihren Berichten über Begegnungen etwa mit William Butler Yeats und T. S. Eliot ist unverkennbar, dass sie den Moment für die Nachwelt aufbereitet. In den Tagebüchern steht erstaunlich wenig über die Langeweile, das Grauen und die Demütigungen und Ängste, die mit ihrer Krankheit einhergingen, und natürlich überdenkt und benennt sie selbst die Gründe dafür: »Ich will sogar vor mir selbst erfolgreich erscheinen.«[9] Aufgrund der Fülle und Ausführlichkeit der Tagebücher könnte man fast glauben, sie schilderten ihr ganzes Leben. Doch das ist nicht der Fall, sie erzählen nur die Version des Lebens, an der Virginia Woolf festhalten wollte.

Sie zeichnet auch die Dinge auf, die eher unwichtig schienen, sich rückblickend jedoch womöglich als »die Diamanten unter einem Berg von Staub« erweisen könnten.[10] Das hing eng mit den Entwicklungen zusammen, die sie beim Schreiben ihrer Romane machte und bei denen sie der Bedeutung von Nebensächlichkeiten nachspürte; sie wusste, dass sich Gefühle häufig dort einstellen, wo man sie zunächst nicht erwartet. Wie ihre Romane boten auch die Tagebücher Virginia Woolf eine Möglichkeit, der Flüchtigkeit des Lebens zu begegnen. Der Gedanke, Tage könnten undokumentiert verstreichen, bedeutete für sie einen Verlust, ihr war die Vorstellung zuwider, »das Leben sich verträpfeln [zu] lassen wie ein laufender Wasserhahn.«[11]

Von außen besehen war, was sie aufzeichnete, nicht unbedingt immer aufregend. Die glücklichsten Zeiten waren häufig die stillsten. Ein durchgeplanter Tag, an dem jede Tätigkeit in dem ihr zugeordneten Zeitraum stattfand, war für Virginia und Leonard produktiv und auch beglückend. Gemeinhin arbeiteten sie beide von zehn bis ein Uhr. Das waren die heiligen Stunden, in denen Virginia schrieb. Jeden Morgen ging sie unmittelbar nach dem Frühstück in ihr Zimmer, rauchte zur Einstimmung vielleicht eine Zigarette und versuchte sich an den ersten Worten. Nach dem Mittagessen ging sie meistens spazieren und dachte dabei über das am Vormittag Geschriebene nach. Später ging es ans Drucken, oder es mussten Manuskripte gelesen werden, und zum Tee kam häufig Besuch. Der Abend war die Zeit für ausgiebige Lektüre, bei der Virginia sich in Geschichte und Literatur vertiefte und sich auf das Schreiben am folgenden Tag vorbereitete. Von einem ganz durchschnittlichen Donnerstag im Jahr 1922 schwärmte sie, der Tag sei »wie ein vollendetes Tischlerstück – wunderschön gefügt mit wunderschönen Schubfächern.«[12] Das empfand sie als zutiefst befriedigend.

Solche strukturierten Tage verbrachten die Woolfs vornehmlich während ihrer Aufenthalte auf dem Land, weit weg von den Unterbrechungen, die zum Londoner Alltag gehörten. Es war ein Schlag, als der Eigentümer ihnen den Mietvertrag für Asheham mit sechsmonatiger Frist kündigte. Doch im Juli 1919 ersteigerten sie in heller Aufregung für siebenhundert Pfund ein mit Holz verschaltes kleines Haus ganz in der Nähe, am äußersten Rand von Rodmell. Ihr Hab und Gut transportierten sie auf zwei Pferdewagen von Asheham in ihr neues Zuhause. »Monk's House«, schrieb Virginia beglückt. »Das ist von nun an unsere Adresse und wird sie auf immer und ewig bleiben. Ich habe auf dem Friedhof, der an unsere Wiese grenzt, sogar schon unsere Gräber ausgesucht.«[13] Das sagte sie nicht aus einer Todessehnsucht heraus, sondern vielmehr aus einem tiefen Gefühl von Ruhe, Beständigkeit und Besitzerstolz. Bei der Heirat hatten sie und Leonard von einem Nomadenleben geträumt, aber sie liebten ihr Zuhause in London und Sussex so sehr, dass diese zu Fixpunkten ihres Lebens wurden. Sie fanden die nomadische Freiheit in anderen Dingen; ewige Wanderer waren sie nicht. Ihr Haus in Sussex, der große Garten und das Land rundherum gaben ihnen Bodenhaftung.

Natürlich war es ein Luxus, ein Haus in der Stadt und eines auf dem Land zu haben, aber luxuriös ging es in Monk's House keineswegs zu. Der Regen floss vom Garten ins Haus und zur Küchentür wieder hinaus. Die Nachtruhe wurde oft von Mäusen gestört, die ins Bett – oder aus dem Bett - sprangen. Potentielle Besucher wurden vor den primitiven Umständen gewarnt. Schwer vorstellbar etwa, dass die majestätische Ottoline Morrell das Plumpsklo im Garten benutzt hätte. Die Verbesserungen, die allmählich in Rodmell Einzug hielten und jeweils mit den Einnahmen aus einem bestimmten Werk finanziert wurden, erfüllten die Woolfs immer wieder mit Stolz. Sie ließen die Küche renovieren. Sie errichteten ein Gartenhaus, in dem Virginia arbeitete. Und sie war nach wie vor glücklich auf dem Land. Nachmittags wanderte sie über die Wiesen und Weiden, überdachte ihre Arbeit vom Vormittag und beobachtete, wie sich das Licht auf den grünen Hängen der Downs veränderte. Das alles wollte sie bei sich behalten und niederschreiben. »Ich bin nämlich so darauf bedacht, jeden Fetzen aufzubewahren.«[14]

Der Strom des Lebens ergoss sich also in Virginia Woolfs Tagebuch und in ihre Briefe. Oft schilderte sie dasselbe Ereignis in drei Briefen an unterschiedliche Personen und noch einmal in ihrem Tagebuch, aber selten wiederholte sie auch nur einen Ausdruck. Klatsch wurde wie Glitzersterne eingestreut: Virginia betrachtete ihn als kostbare Währung, die man aufsparte und nur überlegt ausgab. Ein gutes Gerücht musste mit etwas ähnlich Gutem honoriert werden. »Ich spare mir im Kopf immer einen Beutel Tratsch für dich an«, schrieb sie Vanessa, und dieser Beutel war immer sehr voll.[15]

Viel von diesem Klatsch betraf die Freunde, die sich in dem nach der Russischen Revolution benannten »1917 Club« in London trafen. An manchen Nachmittagen saßen die Älteren an einem Ende des Raums und hörten den Jungen beim Reden zu. Virginia gehörte jetzt zu diesen »Älteren« und fühlte sich mit Ende dreißig wie eine Frau mittleren Alters. Mal kritisch, dann wieder wohlwollend taxierte sie die jungen Leute mit ihren Hosen und den kurzen Haaren. Barbara Hiles etwa wirkte intelligent und modern, es hatte den Anschein, als wäre sie drauf und dran, etwas auf die Beine zu stellen – aber was genau? Virginia Woolf zeigte sich skeptisch: »& das Manöver folgte nicht.«[16] Manchmal verliebten sich Freunde aus den unterschiedlichen Generationen ineinander. Virginia verfolgte mit Spannung Saxon Sydney-Turners unglückliche Affäre mit Barbara, und alle waren in die knisternde Dynamik zwischen Lytton Strachey, Dora Carrington und dem jungen Ralph Partridge verstrickt. Virginia Woolf beobachtete gern, wie andere Menschen und andere Generationen bestimmte Dinge angingen. Wenn sie Vanessas Kindern zusah, fragte sie sich, welche Art Gesellschaft sie aufbauen würden; bei Gesprächen mit Julian hatte sie das Gefühl, »die alten Sachen den neuen Hirnen weiterzureichen.«[17]

Zwar richtete sie ihren Blick in die Zukunft, vergaß darüber aber nicht die alten Bindungen. Ihre intime Beziehung zu Violet Dickinson hatte längst ein Ende gefunden, doch die beiden Frauen blieben immer in Briefkontakt, und Virginia vergaß nie, was Violet für sie getan hatte. »Es ist eindeutig Dein Verdienst, dass ich überlebt habe, um überhaupt schreiben zu können«, antwortete sie liebevoll, als Violet *Nacht und Tag* lobte.[18] Sie hatte überlebt, und sie hatte sich verändert. Sooft sie über ihre Vergangenheit nachdachte – was sie häufig und intensiv tat –, fragte sie sich, wie viel sie eigentlich geschafft hatte. Was hatte sie mit ihren vierzig Jahren vorzuweisen? Sie bewahrte die Fülle dieser Jahre im Gedächtnis, damit sie stets die Antwort parat hatte. Als sie im Frühjahr 1921 nach Cornwall fuhr, hatte sie den Eindruck, an den Ort zurückzukehren, von dem aus sie aufgebrochen war: »Jetzt kehre ich zurück und ›bringe meine Garben mit‹.«[19]

Sie wusste, dass sie mittlerweile eine bewunderte Schriftstellerin war und man ihr Werk verfolgte. Mit zwei veröffentlichten Romanen, einem dritten in Arbeit, einem amerikanischen Verleger, einer wachsenden Leserschaft und fünfzehn Jahren regelmäßiger Rezensionen war Virginia Woolf eine literarische Figur, die Gewicht hatte. Auch Leonards Erfolg wuchs, er hatte als Redakteur, Dozent und in der Politik mehr denn je zu tun. Gemeinsam hatten sie sich ein erfüllendes Leben aufgebaut. Lachend verglich Virginia sich und Leonard mit Blumen, um die sich all ihre summenden Freunde scharten: »unsere verlockende Süße zieht nach wie vor Bienen aus allen vier Himmelsrichtungen an.«[20] Beide empfanden das Älterwerden auch als Vorteil. Virginia hatte das Gefühl, endlich in das Geschäft einer Hutmacherin gehen, der Verkäuferin in die Augen sehen und das bekommen zu können, was sie wollte. Es gab zahlreiche festliche Abendveranstaltungen, ein Ballettbesuch etwa, gefolgt von einer Party bei den Sitwells, oder ein Wochenende in Garsington, wo Ottoline Morrell sich »wie die Spanische Armada unter vollen Segeln« gerierte.[21] Virginia mochte das Gefühl, im Zentrum des

Mit ihrer prächtigen Garderobe und der herrschaftlichen Grandezza, mit der
Ottoline Morrell Partys in Garsington gab, kam sie Virginia Woolf »wie die
Spanische Armada« vor. Virginia machte sich über Ottoline gerne lustig, be-
wunderte sie aber auch, und ihre Freundschaft bedeutete ihr sehr viel.

Geschehens zu sein. »Auf Partys fühle ich mich jetzt ein bißchen berühmt«, schrieb sie.[22] Man kannte ihren Namen.

Zum Älterwerden gehörte auch die Freude, Erinnerungen mit anderen zu teilen. Zu diesem Zweck wurde der Memoir Club gegründet, bei dem Freunde sich zusammensetzten und Geschichten aus der Vergangenheit des einen oder anderen lauschten. Nachdem man gemeinsam gegessen und sich unterhalten hatte, trugen ein oder zwei Clubmitglieder ihre Erinnerungen vor, die sie eigens zur Unterhaltung der anderen aufgeschrieben hatten. Diese nostalgische Veranstaltung im Freundeskreis stellte eine Verbindung zur viktorianischen Elterngeneration her, die großen Wert auf Erinnerungskultur gelegt hatte. Allerdings waren die im Memoir Club vorgetragenen Rückblicke ausgesprochen modern und standen im krassen Gegensatz zu Leslie Stephens *Mausoleum Book*. Skandalöses und Witziges war gefragt, gewagte Enthüllungen stellten das Highlight eines jeden Abends dar. Und am Tisch saßen die Menschen, die Virginia Woolf durch Thoby kennengelernt hatte und die zu ihren ältesten und treuesten Freunden gehörten.

Ihre Zuneigung zu Saxon Sydney-Turner und Lytton Strachey ging auf ihre Liebe zu Thoby zurück, doch mochte Virginia die beiden zunehmend um ihrer selbst willen. Dem schweigsamen Saxon gegenüber war sie sehr einfühlsam, sie wollte gern seine Vertraute werden und wartete geduldig, bis er tatsächlich sagte, was er zu sagen hatte. Ihr Verhältnis zu Lytton hingegen hatte mehr Flair, es war stärker von Konkurrenz geprägt. Literarisch gesehen war er ihr Rivale, denn durch sein Buch *Eminent Victorians* war er 1918 in ganz England bekannt geworden, also zu einer Zeit, als von Virginia Woolf noch niemand gehört hatte. Die Rivalität diente beiden als Ansporn. Virginia war entzückt, als Lytton ihr seine Bio-

Mark Gertler, *The Pond at Garsington*, 1916

graphie Königin Victorias widmete, doch sie wollte ebenso
große Erfolge feiern wie er. Als 1921 ihre Kurzgeschichten erschienen, kamen sie ihr im Vergleich zu den funkelnden Ex-
plosionen Stracheys wie ein »nass gewordenes Feuerwerk«
vor: Sie zündeten nicht richtig.[23] Was das Feuerwerk betrifft,
kommt die Nachwelt allerdings zu einem anderen Urteil, zumindest momentan: *Queen Victoria* gilt als elegant und ge-
lungen, mit Virginia Woolfs Kurzgeschichten aber wurde ein
neues Kapitel der Literaturgeschichte aufgeschlagen.

Lytton war nicht der einzige Schriftsteller, mit dem Virginia
Woolf in Konkurrenz stand. Während der Arbeit an *Jacobs
Zimmer*, dem Buch, das aus ihren experimentellen Kurzgeschichten heraus entstand, wurde sie sich verstärkt ihrer literarischen Zeitgenossen bewusst. So hatte sie sich mit Katherine Mansfield angefreundet, allerdings war es eine schwierige
und angespannte Beziehung, und Virginia fühlte sich durch
Katherines Kurzgeschichten angespornt, in ihren eigenen
noch mehr von sich zu verlangen. Sie setzte die Druckvorlage
für Katherines lange Geschichte *Prelude*, eine der frühesten
Veröffentlichungen der Hogarth Press. »Mein Gott, es macht
mich sehr glücklich, Virginia, Dich meine Freundin nennen
zu können«, schrieb Katherine Mansfield in einem der seltenen Momente, in denen sie etwas von sich preisgab und sich
öffnete: Sie wollte Virginia Woolf »ohne jeden Vorbehalt alle
Ehren« erweisen.[24] Und doch war es eine Beziehung voller
Vorbehalte, defensiver Äußerungen und expliziter oder ange-
deuteter Kränkungen. Katherine Mansfield teilte Kritik be-
denkenlos aus und schrieb über *Nacht und Tag* eine unter-
kühlte Rezension. Die beiden Frauen hatten das Gefühl, an
derselben Sache zu arbeiten, doch wurde ihr Umgang miteinander dadurch umso reservierter. Ihre Auseinandersetzung

hatte etwas verstörend Intimes an sich. Wenn sie sich unterhielten, hatte Virginia das »merkwürdige Gefühl eines geistigen Echos, das unmittelbar von ihr zu mir zurückkommt, sobald ich etwas gesagt habe.«[25]

T. S. Eliot stattete den Woolfs die ersten Besuche ab, doch man blieb bei »Mr. Eliot« und »Mrs. Woolf«, und es dauerte lange, bis sie ein entspanntes Verhältnis entwickelten. Virginia wünschte sich zwar, mit ihm befreundet zu sein, sah das jedoch als heikles Unterfangen. »Was wird aus Freundschaften, die man mit 40 schließt?«, fragte sie sich.[26] Sie fühlte sich von Eliot missachtet und nicht ernst genommen, wo doch das Gegenteil der Fall sein sollte – schließlich war sie die ältere und renommiertere Autorin. Doch aller Distanziertheit zum Trotz verbündeten sie sich, und Virginia Woolf scheute keine Mühe, Geld aufzutreiben, damit Eliot seine Stelle als Bankangestellter aufgeben konnte. Immer öfter verwendeten beide das Wort »wir«, wenn sie über ihr Schreiben sprachen. »Wir sind nicht so gut wie Keats«, sagte Virginia, als sie zusammen im Taxi nach Hammersmith fuhren. »Doch, das sind wir schon«, antwortete Eliot.[27] Im Juni des folgenden Jahres las Eliot den Woolfs im Hogarth House *Das wüste Land* vor. »Er sang & psalmodierte es, hob den Rhythmus hervor«, schrieb Virginia.[28] Sie war sich über die Bedeutung des Gedichts noch nicht im Klaren, doch sein rätselhafter Zauber entfaltete für sie bereits seine Wirkung.

Als noch größere Provokation empfand sie Eliots Einschätzung, James Joyce sei der größte Schriftsteller ihrer Zeit. Virginia Woolf war anderer Meinung. Als *Ulysses* erschien, las sie eingehend die einzelnen Fortsetzungen, in denen der Roman veröffentlicht wurde, und äußerte sich anerkennend über die technische Ausführung, doch als Roman an sich fand sie ihn von prahlerischer Vulgarität und voller Bravourstücke. So sehr *Ulysses* vom Körperlichen handelte, sprach das Buch sie sinnlich nicht an; Joyce bereitete ihr nichts von dem »körperlichen Vergnügen«, das sie bei der Lektüre von Proust empfand. Der Gegensatz zwischen Joyce und Proust, den sie beim Lesen der beiden Schriftsteller Anfang der Zwanzigerjahre bemerkte, half ihr auch, klarere Vorstellungen von dem zu bekommen, was sie selbst erreichen wollte. Proust kitzelte jeden einzelnen Nerv in ihr, konnte eine »erstaunliche Schwingung und Sättigung und Intensivierung« auslösen: »Ach, könnte nur ich so schreiben!«[29] Ihre körperliche Reaktion auf *Ulysses* war von sehr anderer Art, verglich sie den Autor doch bekanntermaßen mit »einem ekligen Studenten, der sich die Pickel aufkratzt.«[30] Dieses Bild verdankte sich ihrer Wut über die Exklusivität und Herablassung der männlichen Bildungselite. *Ulysses* gehörte in ihren Augen zur Welt männlicher Arroganz und aggressiver Sexualität. Vor allem aber fand sie in Joyces Sprache wenig Rhythmisches und Schönes. Andererseits wusste sie, dass der Autor nicht zu ignorieren war. In der Zeit, als sie mit *Jacobs Zimmer* nicht vorankam, gestand sie sogar: »ich überlegte mir, dass Mr. Joyce das, was ich mache, wahrscheinlich besser macht.«[31] Wohl nicht ganz zufällig entwarf sie in diesen Wochen des Stockens im Kopf einen Artikel über »Frauen«, als müsste sie ihre Kräfte gegen diese mächtigen Männer bündeln.[32]

Ihrer Zielstrebigkeit zum Trotz sah Virginia Woolf das Leben als »ein schmales Stückchen Trottoir über einem Abgrund.«[33] Über dieses Trottoir musste sie gehen, ohne abzustürzen. Lief das Leben gut, wurde es breiter, dann war die Gefahr des Absturzes geringer, aber der Abgrund war immer da. Nach einem Besuch Vanessas – mit ihrer Lebendigkeit und Gesprächigkeit und dem Kindersegen – saß Virginia manchmal in Tränen aufgelöst einsam an ihrem Schreib-

Virginia Woolf mit ihrer Nichte Angelica Bell

tisch. Das ganze Jahr 1921 hindurch war ihre Gesundheit fragil, und wie jedes Mal vor dem Erscheinen eines Romans, wurde ihr Zustand zusehends prekär. Jeden Monat stellten die Ärzte eine andere Diagnose: Zunächst war es Grippe, dann ein Herzleiden, schließlich Tuberkulose. Sie bekam drei Zähne gezogen und die »Mikroben« aus deren Wurzeln in den Arm gespritzt. Niemand wusste, was ihr wirklich fehlte, und das können wir auch heute nicht mehr mit Sicherheit feststellen. Nicht zu Unrecht hatte Virginia das Gefühl, durch den Schwebezustand ihrer Krankheit mindestens fünf Jahre verloren zu haben. Das Leben war weiter gelaufen, ohne dass sie daran teilgenommen hatte. »Du musst mich als 35 betrachten – und nicht als 40 – und eher weniger von mir erwarten«, verlangte sie kurz vor ihrem Geburtstag von E. M. Forster.[34] Dabei hatte sie für eine Vierzigjährige Außergewöhnliches geschaffen, geschweige denn für eine Fünfunddreißigjährige. Im November 1921 beendete sie ihren Roman und begleitete ihn bis zur Veröffentlichung in ihrer eigenen Druckerei im Oktober 1922. 1922 ist eines der magischen Daten der Literaturgeschichte: In diesem Jahr erschienen *Das wüste Land*, die Buchausgabe von *Ulysees* – und *Jacobs Zimmer (Jacob's Room)*.

Der Roman beginnt mit einem Helden, der nicht zu sehen ist. »Ja-cob! Ja-cob!«, ruft sein Bruder und läuft auf der Suche nach ihm den Strand entlang.[35] Kurzzeitig finden wir ihn, aber im Lauf des Romans entzieht er sich immer wieder dem Erzähler, der seine Geschichte schildern will: wie er heranwächst, an der Universität studiert, sich verliebt. Nie sehen wir ein greifbares, definitives Portrait von Jacob, aber immer wieder können wir einen Blick auf ihn erhaschen, wenn er in einer Menschenmenge oder einer Schlange steht, und wir hören andere über ihn sprechen. Wie die Frau im Zug in »Ein ungeschriebener Roman« wird er von seinen Mitmenschen einge-

E. M. Forster, portraitiert von Roger Fry. Forster und Virginia Woolf waren
dreißig Jahre lang befreundet, und obwohl Virginia gewisse Vorbehalte gegenüber seinen Büchern äußerte, war ihr seine Meinung zu ihren doch sehr wichtig.

hend betrachtet und erfunden. In einer weiteren sehr komischen und anrührenden Zugszene nimmt Jacob der älteren Mrs. Norman gegenüber Platz, die nervös nach der Notbremse Ausschau hält, denn es ist »eine Tatsache, daß Männer gefährlich sind«. Als sie die äußere Erscheinung des jungen Mannes mustert, stellt sie allerdings fest, dass er »ernst, unbewußt« ist, vielleicht ihrem eigenen Sohn gar nicht so unähnlich, jemand, mit dem sie sich gern unterhalten würde – aber er steigt in Cambridge aus und geht seiner Wege.[36]

In *Jacobs Zimmer* finden sich viele dieser kleinen Erfahrungsfragmente, das Buch bleibt dabei aber auf unbestimmte Weise geisterhaft. Eine distanzierte, lyrische Stimme beschwört eine Vorkriegswelt herauf und scheint sich vage bewusst, dass sie einen Abgesang anstimmt. Muntere, emsige Geräusche verebben in der Stille. Wenn in Cambridge das Abendessen aufgetragen wird, treiben Geschirrklappern und Stimmengewirr durch die Nachtluft, doch Jacobs Zimmer steht unterdessen leer, und das eiserne Gittertor wirkt im Mondlicht »wie Spitze auf blassem Grün«.[37] Wenn sich die Nacht über London senkt, liegt die Kuppel des British Museum fahl und still da, »wie Knochen kühl über den Phantasievorstellungen und der Hitze des Gehirns liegt«.[38] Und in Griechenland, wohin Jacob gereist war, »fällt die Dunkelheit wie ein Messer«.[39] Seine Mutter in England glaubt, aus der Ferne Kanonendonner zu hören. Im nächsten Kapitel hält sie ein altes Paar Schuhe ihres toten Sohnes in der Hand.

Virginia Woolf hatte bei *Jacobs Zimmer* das Gefühl, dem, was sie sagen wollte, recht nahe gekommen zu sein. Das Buch sei nur ein Experiment, beteuerte sie immer wieder, ein Experiment, das dem, was als Nächstes kommen sollte, den Weg bereite. Und sie schrieb auch schon intensiv an ihrem nächsten Roman, arbeitete mit Macht auf eine neue Form hin.

Aber während dieses Vorwärtsstrebens wollte sie gleichzeitig in der Gegenwart verweilen: »Ich habe wirklich sehr viel zu tun & bin sehr glücklich & möchte nur sagen, Zeit, steh jetzt still.«[40]

5

»IMMER WEITER HINAUS«: 1923–1925

Weihnachten 1922 schrieb Virginia Woolf ihrem Freund Gerald
Brenan in Spanien einen langen Brief, in dem sie das zurück-
liegende Jahr reflektierte, Bilanz zog und festzuhalten versuchte, was sie gerade beschäftigte und antrieb. Für sie war es
wichtig, immer wieder ein Resümee zu ziehen, häufig am Ende
eines Jahres oder vor Erscheinen eines neuen Buches. Ihr Leben sollte eine Form haben, ebenso wie ihre Romane eine Form
hatten. Jetzt, am Ende des Jahres 1922, hatte sie den Eindruck,
sie würde in verschiedene Richtungen gezogen, aber auch,
dass sie mit den jetzt zu treffenden Entscheidungen festlegte,
wer sie als Frau mittleren Alters sein würde. »Ich habe mich
gefragt, warum es mich lockt – obwohl ich mich manchmal
auf das zu beschränken versuche, was ich gut kann –, immer
weiter hinaus gezogen zu werden, von Menschen wohl, fort
aus dem kleinen Kreis der Sicherheit zu den Strudeln, wo ich
untergehe.«[1] Sie hatte schwer gearbeitet und sich einen Namen gemacht, sie hatte einen erfolgreichen Mann, der sie liebte, einen großen Freundeskreis und ein geräumiges Haus in
Richmond. Der »kleine Kreis der Sicherheit« bot einen magischen Zusammenhalt, den sie immer wieder beschwor, und
doch wollte sie sich in den folgenden zehn Jahren immer wieder über die Grenzen des Kreises hinauswagen. Sie schrieb in
rascher Folge vier große, völlig unterschiedliche Romane, mit
denen sie jeweils ein immenses Risiko einging, weil sie mit
unerprobten Methoden arbeitete. Sie schloss neue Freund-

Vanessa Bell, *A Conversation (Three Women)*, 1913–1916. »Kein Wort ist zu hören, und doch ist der Raum von Gesprächen erfüllt«, schrieb Virginia Woolf 1934 im Begleittext zu einer Ausstellung ihrer Schwester.

schaften und verliebte sich. Sie geriet in die Strudel, ging unter und tauchte wieder auf, und alles fing von vorne an.

Ihrem Wunsch, sicheres Terrain zu verlassen, entsprang schon bald die konkrete Idee, wieder nach London zu ziehen, in die Innenstadt. Leonard war dagegen, Richmond tat Virginias Gesundheit gut. Er malte sich und ihr aus, was passieren würde, wenn sie wieder mitten in der Stadt lebten: späte Abendeinladungen, Hunderte von Besuchern, Erschöpfung, Krankheit – die sattsam bekannte Spirale. Zudem fühlte er persönlich sich in Hogarth House sehr wohl, ihn verlangte es nicht nach allabendlicher Geselligkeit. Je mehr er seinen Standpunkt verteidigte, desto mehr fühlte Virginia sich gefangen; die Auseinandersetzung um ihren Wohnort wurde für sie zu einem Kampf um das Leben selbst. Sie hatte das Gefühl, etwas zu verpassen und zu vergeuden: Wenn sie nach neun Jahren am Stadtrand nicht wieder nach London ziehen dürfte, würde das Leben endgültig an ihr vorbeigehen. Die Vorstellung schmerzte sie. Sie wollte »Abenteuer unter Menschen erleben« und »sich ins Leben stürzen.«[2] Auch in dem gerade entstehenden Roman wagte sie dieses Abenteuer, dachte intensiv über das Verhältnis von Rausch und Gefahr nach. An einem strahlenden Morgen tritt Clarissa Dalloway auf die Straßen Londons hinaus, und obwohl sie nur zum Blumengeschäft geht, und obwohl sie den Weg in- und auswendig kennt, ist sie wie berauscht: »Leben; London; dieser Augenblick im Juni.«[3]

In *Mrs. Dalloway* geht es um eine Frau der höheren Gesellschaft, die ein Fest ausrichtet – ein Thema, das seltsam anmuten mag für eine Schriftstellerin, der förmliche gesellschaftliche Anlässe ein Gräuel waren. Beim Entwurf der Figur hatte sie zum Teil Kitty Maxse im Sinn, eine Familienfreundin der Stephens, die in ihrer Jugend der Inbegriff des gesellschaftlichen Erfolgs gewesen war. Kitty hatte sich sehr herrschaftlich und unerschütterlich gegeben und sich unterkühlt von den Stephen-Mädchen distanziert, als diese ins schäbige Bloomsbury gezogen waren. Aber dann, im Jahr 1922, stürzte sie aus unerklärlichen Gründen, vielleicht auch absichtlich, über ein Treppengeländer und starb. Ihr Bild schob sich mit Macht in Virginia Woolfs Bewusstsein: »ihr weißes Haar – die rosa Wangen – wie aufrecht sie saß – ihre Stimme.«[4] Zu der Zeit schrieb sie gerade an mehreren Geschichten über Mrs. Dalloway, und ein paar Tage nach Kittys Tod wurde ihr klar, dass sich die Geschichten zu einem Roman verdichteten.

Ihre Hauptfigur bereitete ihr Kopfzerbrechen. Beim Schreiben geriet sie ins Straucheln, und als Clarissa ihr »zu steif, zu glitzernd & talmihaft« erschien, wollte sie das Projekt fast schon aufgeben.[5] Aber dann fand sie eine Möglichkeit, etwas, was sie »Tunnel« nannte, unter der Oberfläche anzulegen und damit Erinnerungen und unterirdische Gefühlshöhlen zu erschließen.[6] Das Problem war gelöst. So ganz konnte Virginia Woolf Clarissa nicht ins Herz schließen, aber sie übertrug ihrer Heldin – die sich so grundlegend von ihr unterschied – dennoch ihren eigenen Wunsch, die Welt zumindest einen Moment lang zu einem bedeutungsvollen Ganzen zu formen. In Clarissas Haus, in dem das Leben gedämpft und zivilisiert vor sich geht, darf alles Durcheinander, alles Heftige im Leben lediglich in Andeutungen stattfinden. Welche Herausforderungen das beinhaltete, erklärte Virginia Gerald Brenan in einem Brief: »Wie lässt man Menschen über die Grundfeste des Lebens reden, bis sich einem die Nackenhaare sträuben, und das in einem Salon?«[7]

Virginia Woolfs Kunst bestand im Schreiben und nicht darin, Gäste in Salons zu empfangen, dennoch war sie gern von gesellschaftlichem Trubel umgeben. Konnte sie an einem Fest nicht teilnehmen, besuchte sie es in der Phantasie – wie einmal 1925, als sie ihr Fehlen bei ihrer eigenen Party mit resignierter Launigkeit akzeptierte – und entzog sich dadurch einer möglichen Enttäuschung: »Ich lag im Bett und stellte mir alles genau vor. Ich werde Partys nie mehr auf eine andere Art besuchen. Man ist so geistreich, so glücklich, so schön.«[8] Sie hatte eine Schwäche für Klatsch und für die Verstrickungen zwischenmenschlicher Beziehungen, und es machte ihr großen Spaß, durch Verkleidung oder Verstellung eine andere Rolle zu spielen, sei es bei einer koketten Unterhaltung oder einem von Duncan Grants frivolen Balletten, wo sie sich als Mann ausgab. Dramatische Gespräche waren integraler Bestandteil des Auftritts.

Virginia genoss ihre Fähigkeit, Menschen einzuschüchtern, ebenso wie ihre Gabe, sie zu inspirieren. Sie genoss sogar die gelegentlichen Anzeichen, sie könne selbst zur modischen Ikone werden. Sie ließ sich von Clives Lebensgefährtin, der flamboyanten Mary Hutchinson – die beiden hießen in Virginias persönlicher Zoosprache »die Sittiche« –, in Sachen Make-up beraten, Dorothy Todd, die Chefredakteurin der *Vogue*, wollte ihr beim Kleiderkauf behilflich sein, und die unerschrockene Sibyl Colefax lud sie zu ihren Gesellschaften ein. Am meisten berührten Virginia allerdings die alten Fundamente unter der glitzernden Oberfläche. Immer wieder staunte sie über die unsichtbaren Verbindungen, die ihre alten Freunde unweigerlich wieder zusammenführten, aller Entfernung zum Trotz und so unterschiedlich ihr Leben mittlerweile auch sein mochte. Als sie eines grauen Morgens nach einer Party aufwachte, um gemeinsam mit den Bells und den Partridges zu frühstücken, hatte sie das erfüllende Gefühl, zu einer Gemeinschaft zu gehören. Offenbar hatte »Bloomsbury« doch etwas bedeutet. »Wenn sechs Menschen ohne besondere Unterstützung und nur aus dem heraus, was die Natur ihnen

mitgegeben hat, derart herausragen können, muss es einen
Grund dafür geben«, schrieb sie in einem Brief an Gwen Raverat. »Ihr Triumph besteht meiner Ansicht nach darin, dass
sie eine Einstellung zum Leben gefunden haben [...], die noch
immer Gültigkeit hat und deretwegen sie auch nach zwanzig
Jahren noch zusammen am Esstisch sitzen und zusammen
bleiben.«[9] Diese Bemerkung weist bereits auf *Die Wellen* voraus, den Roman, in dem Virginia Woolf diese tiefen Gefühle
für den Kreis geliebter Menschen aufgriff, in deren Gesellschaft sie ihr Leben verbrachte.

Im Herbst 1923 hatte Virginia ihren Kampf um London ge-
wonnen, und nachdem sie und Leonard aufgeregt auf die
Suche nach einem Haus gegangen waren, unterschrieben sie
schließlich einen für zehn Jahre gültigen Mietvertrag für das
Haus am Tavistock Square Nummer 52. Es war ein fünfstö-
ckiges Stadthaus, um 1820 erbaut, dessen Erdgeschoss und
erster Stock bereits an eine Anwaltskanzlei vermietet waren.
Deshalb richteten sich die Woolfs in zwei getrennten, aber zusammenhängenden Räumlichkeiten ein. Im Souterrain bot
ein Labyrinth von Zimmern der ständig expandierenden Hogarth Press Platz, dahinter lag ein ehemaliges Billardzimmer,
das Virginia zu ihrem Arbeitsplatz erkor. Dort saß sie in einem
schäbigen Sessel, umgeben von gestapelten Verlagsmanu-
skripten, in denen von Zeit zu Zeit ein Lektoratsassistent wühlte und sich dabei bemühte, die am Gasfeuer sitzende, über ihr
Schreibbrett gebeugte Gestalt nicht zu stören. Im Souterrain
war alles rein zweckmäßig eingerichtet, oben aber, im zweiten und dritten Stock, war die Täfelung in den Wohnräumen
dekorativ von Grant und Bell bemalt, die Sessel waren in einem
besseren Zustand, und aus den Fenstern sah man zum »fah-
len Turm« der St. Pancras Church hinüber.

Sofort schrieb Virginia Oden auf London und wunderte sich
selbst über ihre romantischen Anwandlungen. Sogar der
Mond erschien ihr echter als der über Richmond. Sie kam sich
vor, als hätte sie ein ganzes Jahrzehnt lang einen Gesprächs-
vorrat aufgespart, den sie nun aufbrauchen konnte, wenn sie
allabendlich mit ihren Freunden am Feuer saß. Der Tavistock
Square lag mitten in ihrem alten Revier, ganz in der Nähe des
Gordon Square, und wann immer Virginia das Haus verließ,
war die Wahrscheinlichkeit groß, dem einen oder anderen Bekannten zu begegnen. Sie konnte jederzeit in die Außenwelt
eintauchen und gleich darauf zur Arbeit zurückkehren.

Sie war wieder in London, und die dazwischen liegenden
Jahre kamen ihr jetzt wie eine bloße Unterbrechung vor. Sie
hatte das Gefühl, sie »fahre mit einer Geschichte fort«, die
1904 mit dem Auszug der Stephens aus Hyde Park Gate begonnen hatte.[10] Mit einem Mal war sie ihrer Vergangenheit
sehr nah, jedes Geräusch konnte eine Erinnerung auslösen.
Allein das Quietschen einer Türangel versetzt Clarissa Dalloway in das Haus ihrer Jugend zurück, und damit überfällt sie
auch wieder das gleiche Gefühl von Aufbruch: »Was für ein
Spaß! Was für ein Sprung!«[11]

Es gab noch einen weiteren Grund, weshalb Virginia Woolf
sich im Frühjahr 1924 so jung fühlte und erwartungsvoll ins
Leben blickte. Zu den immer häufigeren Besuchern gehörte
auch eine adelige Schriftstellerin von dreißig Jahren, die aris-
tokratisches Flair ausstrahlte und Virginia Woolfs Romane
bewunderte. Vita Sackville-West bewegte sich mit großer Ges-
te durch die Welt. Wo immer sie erschien, brachte sie die Aura
von Knole mit, dem großen Landsitz, auf dem sie aufgewachsen war, und es wurden Geschichten erzählt, wie sie mit Vio
let Trefusis durchgebrannt war, die sich gerne in Männerklei-
dung zeigte. Und jetzt stand Vita Sackville-West bei Virginia
vor der Tür.

Das Leben à la Bloomsbury mit den ernsthaften Gesprächen und der Verachtung für Prunk, mit »Pantoffeln, Rauchen, Rosinenbrötchen, Schokolade« war etwas völlig anderes als das Leben, das Vita kannte. Später nannte sie es »Gloomsbury«.[12] Wenn sie in Rodmell zu Besuch war, wirkte Monk's House allein durch ihre Gegenwart wie »eine zerfallene Scheune«.[13] Dennoch war nicht zu übersehen, dass Vita Sackville-West Virginia Woolf den Hof machte. Sie verfasste einen Roman für die Hogarth Press und widmete ihn Virginia, die von »kindlich betörter Zuneigung« überflutet wurde, als sie ihren Namen gleich auf der ersten Seite des Buches unter dem exotischen Titel *Verführer in Ecuador* las.[14]

Durch die sich anbahnende Beziehung bekam Virginia Woolf mit ihren gut vierzig Jahren das Gefühl, ebenfalls exotisch zu sein. Und sofort schlug sie Kapital daraus und ließ, nachdem sie jahrelang im Schatten von Vanessa mit ihren sexuellen Abenteuern gestanden hatte, gegenüber ihrer Schwester beiläufig erotische Anspielungen fallen. Freunden schwärmte sie vor, Vita verkörpere die gesamte englische Geschichte »von 1300 bis heute«, sie mäanderte spielerisch zwischen Phantasie und Ernsthaftigkeit und bekam dadurch die Freiheit, wirklich alles zu sagen.[15] »Jetzt verrate ich dir ein Geheimnis«, schrieb sie Jacques Raverat in Frankreich, »ich möchte meine Herzdame dazu anstiften, als nächstes mit mir durchzubrennen.«[16] Außer in der Phantasie und in Gesprächen war Virginia davon allerdings weit entfernt, dafür hing sie viel zu sehr an ihren alten Freunden und insbesondere an ihrem Leben mit Leonard. Aber: »Oh ja, ich mag sie«, schrieb sie eines Septemberabends in ihr Tagebuch, während sie sich gleichzeitig darauf freute, dass Leonard von der Arbeit heimkam, hoffte, dass er jeden Moment auftauchen würde, und zusah, wie ihr Hund Grizzle bei jedem Geräusch erwartungsvoll ein Ohr aufstellte.[17]

THE HOGARTH PRESS

52 TAVISTOCK SQUARE, LONDON, W.C.1.

AUTUMN ANNOUNCEMENTS

1924

Die Herbstvorschau der Hogarth Press 1924 mit einer Zeichnung von Vanessa Bell. Die Woolfs leiteten einen hoch angesehenen und einflussreichen Verlag. 1924 veröffentlichten sie die ersten beiden Bände der Vorträge Sigmund Freuds, Virginia Woolfs *Mr. Bennett und Mrs. Brown* in der Reihe »Hogarth Essays« sowie Vita Sackville-Wests Roman *Verführer in Ecuador.*

Virginias neues Selbstvertrauen beflügelte ihren Roman, der auch einen selbstbewussten Ton haben musste: Mit dem Plan, mehreren Figuren an einem Junitag durch eine Stadt zu folgen, entwarf sie schließlich ihre Antwort auf *Ulysses*. Nebenbei setzte sie, Buchstabe um Buchstabe, den Text für die Hogarth-Ausgabe von *Das wüste Land*. Virginia Woolf musste den Herausforderungen ihrer Schriftstellerkollegen begegnen, gleichzeitig wollte sie ihren Ruf als Kritikerin festigen – und zwar nicht mehr nur als Journalistin, sondern als Essayistin mit einer ganz eigenen Stimme. Sie suchte einige ihrer längeren Rezensionen heraus und begann, sie zur Veröffentlichung in einem Buch »aufzupolieren«, dessen Arbeitstitel »Reading«, »Lesen«, lautete und das schließlich als *Der gewöhnliche Leser* (*The Common Reader*) herauskam. Die Artikel und Texte ihrer Kritikertätigkeit sollten ein geschlossenes Ganzes bilden, eine eingehende Auseinandersetzung mit dem, was Literatur bewirken kann.

Für dieses Buch hatte Virginia Woolf bereits überreichlich Material, doch um beweglich zu bleiben und weil sie vor Energie überschäumte, begann sie mit der Arbeit an mehreren ausgesprochen ehrgeizigen Essays. Zwei Jahre lang las sie Homer, Aischylos, Euripides und Sophokles, um anschließend den Aufsatz »Von der Unkenntnis des Griechischen« zu schreiben. Die Überschrift mag wie ein defensiver Verweis auf Virginia Woolfs Mangel an klassischer Bildung klingen, führt aber bewusst in die Irre. Der humanistische Professor und der gewöhnliche Leser sitzen im selben Boot, denn keiner von beiden kann *richtig* Griechisch, keiner von beiden saß je in Athen im Theater. Es bedarf eher Phantasie als Gelehrtenwissen, um den Lesern die Welt der Antike vor Augen zu führen.

Der gewöhnliche Leser schweift mühelos von Chaucers kargem, frostigem, schlammigem England des Mittelalters zu der exquisiten Finesse von Addisons Prosa, von Biographien großer Persönlichkeiten zu den »Lebensläufen Unbekannter«.[18] Virginia Woolf gibt ihren Sujets einen Hintergrund, beschwört eine bestimmte Beschaffenheit und Temperatur des Lebens, sie führt uns ganz nah an die Texte der Vergangenheit heran, zeigt uns aber gleichzeitig die Lücken und Zweifel, aus denen unsere große Distanz zu ihnen ersichtlich wird. In jedem einzelnen Essay schildert sie die Gestalt aus der Literaturgeschichte auf eben dieselbe Weise, wie sie die Gestalten ihrer Romane zu schildern versucht. »Inwiefern war sie anders?«, wird Lily Briscoe in *Zum Leuchtturm* fragen, es geht um Mrs. Ramsay. »Was für ein Geist war das in ihr, das Wesentliche, anhand dessen man einen Handschuh, den man in einer Sofaecke gefunden hatte, an seinen gebeugten Fingern unbestreitbar als den ihren erkannt hätte?«[19] Genau das möchte Virginia Woolf bei jedem Buch, das sie aufschlägt, auch wissen. Wenn man ein paar Seiten von Tolstoi, Defoe oder Euripides auf dem Sofa fände, woher wüsste man dann, dass der Text nur von ihnen stammen kann?

Während Virginia Woolf an *Der gewöhnliche Leser* und *Mrs. Dalloway* arbeitete, empfand sie ein tieferes Glücksgefühl als je zuvor, doch war sie sich auch der Zerbrechlichkeit dieses Glücks·bewusst. Die irritierenden Aufs und Abs, die das Jahr 1923 einläuteten, schienen einen bestimmten Rhythmus vorzugeben. Es begann mit einer Party am Gordon Square, zu der Maynard Keynes am Dreikönigstag einlud. Dem Vernehmen nach war es eines der Feste, aus denen Legenden gemacht sind. Lydia Lopokova tanzte, Walter Sickert gab den Hamlet, alle wirkten strahlend und genial. Virginia hatte das Gefühl, ihr Blut würde vor Vergnügen wie Champagner prickeln. Angetan mit einem Kleid ihrer Mutter dachte sie an

Inszenierungen in Bloomsbury: Lydia Lopokova kam mit Djagilews gefeierten Ballets Russes nach London, tanzte bei Partys am Gordon Square und heiratete 1925 Maynard Keynes.

Virginia Woolf im Kleid ihrer Mutter, aufgenommen 1924 von Maurice Beck und Helen Macgregor für *Vogue*. Eines von Julias Kleidern trug sie in ausgelassener Stimmung bei einer Dreikönigsparty im Jahr 1923 und fragte sich, ob ihre Eltern sich wohl jemals so amüsiert hätten wie sie.

ihre Eltern und an alles, was sich für ihre eigene Generation verändert hatte, und sie fragte sich, ob ihr Vater wohl jemals ein solches Vergnügen erlebt und empfunden hatte.[20] Doch während Virginia feierte, lag Katherine Mansfield im Sterben. Mitte Januar erfuhr Virginia von ihrem Tod und empfand beim Schreiben schlagartig eine Leere. »Katherine wird es nicht lesen«, dachte sie.[21] Immer wieder stand ihr ein Bild vor Augen: wie Katherine sich einen weißen Kranz auf den Kopf setzt.

Die Freuden und das Leid wechselten sich weiterhin ab. Virginia Woolf schwirrte der Kopf vor Plänen, doch hinderten sie eine Grippe und leichtes Fieber immer wieder am Arbeiten. Traurig und verstört musste sie mit ansehen, wie die Ehe ihres Bruders Adrian zerbrach. Und trotz ihres Erfolges beneidete sie unterschwellig nach wie vor ihre Schwester um ihr Familienleben und kam sich – wie immer – als Außenseiterin vor, die jenseits dieses besonderen Lichtkreises herumflatterte. Am Todestag ihrer Mutter dachte sie kurz an jenen Tag zurück – »wie ich lachte hinter der vorgehaltenen Hand, hinter der ich eigentlich hätte weinen sollen«[22] – und schob die Erinnerung dann mit einem Satz aus dem kurz zuvor entstandenen Essay über Montaigne beiseite: »Aber genug vom Tod – was zählt, ist das Leben.«[23] Sie wollte »ständig weitermachen [...], ständig denken, planen, Einfälle haben ...«[24]

Mit Anfang vierzig hatte Virginia Woolf also das Gefühl, mitten im Leben und gleichzeitig an dessen Rand zu stehen, es ging ihr gut, sie war voll Tatkraft, aber sie war sich auch bewusst, dass überall Krankheit lauerte. Sie kam sich alt und etabliert vor, andererseits jedoch sehr jung, als stünde sie erst am Anfang von allem. Sie versammelte in sich unterschiedliche Versionen ihrer selbst, und diese Unterschiede bildeten das Gerüst ihres Romans. Sie wusste, dass sie mit der Erzählform und der Struktur von *Mrs. Dalloway* etwas ganz Neues schuf, weit origineller als alles, was sie bislang geschrieben hatte. Durch diese Form war es ihr möglich, Widersprüchliches nebeneinander bestehen und geschehen zu lassen. Da ist Clarissa Dalloway, die ihren Tag durchlebt und ihre Party veranstaltet. Aber daneben gibt es den Kriegsheimkehrer Septimus Warren Smith, der am selben Tag durch London streift und von Bildern aus dem Schützengraben heimgesucht wird.

Wenn Virginia die Septimus-Passagen schrieb, durchlebte sie im Geist wieder ihre eigene Krankheit. Genau das hatte sie beim Schreiben von *Nacht und Tag* zu verhindern versucht, aber jetzt sah sie sich dazu in der Lage. Bisweilen wühlte die Arbeit an den »Wahnszenen« sie stark auf, wie etwa an einem verregneten Abend, als sie zum Bahnhof ging, um Leonard abzuholen. Als sie ihn nicht antraf, überflutete sie ein Gefühl von Einsamkeit, und sie merkte, wie ihr Kampf gegen den »alten Teufel« wieder auflebte. Sie war außer sich vor Erleichterung, als Leonard schließlich im Regenmantel vor ihr stand und von seinem Tag im Büro erzählte. Sie war in Sicherheit, »& doch stand dahinter auch etwas Schreckliches.«[25] Ein Jahr später, im Oktober 1924, konnte Virginia Woolf sich beglückwünschen, dass sie das Buch bei guter Gesundheit abgeschlossen hatte. Es war ein Triumph über die Krankheit, von der sie geschrieben hatte.

Clarissa und Septimus kennen sich nicht, und sie begegnen einander auch nie. Ihre Verbindung besteht allein darin, dass sie zur selben Zeit in derselben Stadt leben, zum selben Flugzeug am Himmel emporblicken und dieselbe Sonne spüren. Der Roman ist ein Diptychon, dessen Tafeln zwar nicht durch etwas Handfestes wie Scharniere, aber doch durch unsichtbare Stränge miteinander verknüpft sind. Clarissa und Septimus führen völlig getrennte Leben, sind jedoch durch den Aufbau des Romans miteinander verbunden. Das war eine

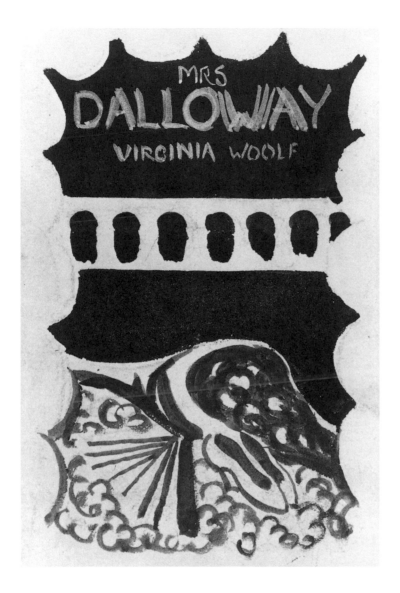

Vanessa Bells Umschlagentwurf für Virginias vierten Roman, *Mrs. Dalloway*

sehr riskante Strategie. Ein anderer Schriftsteller hätte sie auf die eine oder andere Art in Kontakt gebracht, sie hätten sich als entfernte Verwandte erwiesen oder sich zumindest kurz unterhalten. Doch gegen derart einfache Lösungen verwahrte Virginia sich. Mitten in ihrer Abendgesellschaft erfährt Clarissa, dass sich ein junger Mann das Leben genommen hat. Sie führt sich seinen Tod lebhaft vor Augen, und dann kehrt sie in einer Art Auferstehung zu ihren Gästen zurück. Und die spüren ihre Anwesenheit: »Denn da war sie.«[26] Dieser Roman über das eigentümlich miteinander verwobene Leben zweier Menschen trägt den Namen nur eines der beiden, und eben diese Überlebende steht am Ende da.

Während der Überarbeitung von *Mrs. Dalloway* schrieb Virginia ihrem alten Freund, dem Maler Jacques Raverat, mehrere lange, herzliche Briefe. Er lebte mit seiner Frau, der für ihre Holzschnitte bekannten Künstlerin Gwen Raverat, in Frankreich und war durch Multiple Sklerose stark eingeschränkt. Da er keinen Stift mehr halten konnte, diktierte er Gwen seine Briefe an Virginia; sie schickte ihm im Gegenzug lebhafte Zusammenfassungen all dessen, worüber in Bloomsbury geklatscht wurde. Und sie schickte ihm die Fahnen ihres Romans – die sonst nur Leonard zu sehen bekam. Als Gwen ihrem Mann das Buch vorlas, verschwieg sie Septimus' Tod, den sie ihm nicht zumuten wollte. Virginia Woolf hätte das Buch gerne Jacques gewidmet, konnte ihn aber nicht mehr fragen: Im März traf am Tavistock Square die Nachricht von seinem Tod ein. *Der gewöhnliche Leser* erschien im April, drei Wochen später folgte *Mrs. Dalloway*, und Virginia erfüllte damit exakt den anspruchsvollen Zeitplan, den sie sich ein Jahr zuvor gesetzt hatte. In diesen Monaten stand sie inmitten des Geschehens, und ihr war klar, dass sie den Tod verbannte, um den Kopf über Wasser zu behalten. Aber sie schrieb weiterhin an Gwen, dachte immer wieder an Jacques in dem Gefühl, es sei »nur eine Gesprächspause« zwischen ihnen eingetreten. Sie war sich der engen Verbindung der Lebenden zu den Toten ganz bewusst.[27]

6

»DAS IST ES«: 1925–1927

Die Zwiesprache mit der Vergangenheit ließ sie nicht los. Im Frühjahr 1925 hatte Virginia Woolf auf ihrem gewohnten Rundgang um den Tavistock Square auf einmal die Form eines Romans im Kopf. Wie bei so vielen ihrer Bücher kam ihr als Erstes die Form in den Sinn, und an der änderte sich auch nichts mehr. Rasch skizzierte sie das Ganze in einem Notizbuch: eine äußere Form wie ein H, »zwei Blöcke, verbunden durch einen Korridor«.[1] Erst die Vergangenheit, dann ein Bruch und schließlich die erneute Zusammenkunft. Diese einfache Grundstruktur legte den Stoff und die Substanz von *Zum Leuchtturm (To the Lighthouse)* fest.

Virginia erkannte selbst, dass sie mit diesem Roman die Geister ihrer Vergangenheit zur Ruhe bettete. »Ich schrieb das Buch sehr schnell«, erklärte sie später, »und als es geschrieben war, hörte ich auf, von meiner Mutter besessen zu sein. Ich höre ihre Stimme nicht mehr; ich sehe sie nicht mehr.«[2] Auch die Erinnerung an ihren Vater hatte sich verändert: »Und jetzt kommt er manchmal wieder, aber anders.«[3] Virginia verglich den Prozess des Schreibens über diese beiden übermächtigen Figuren mit einer Psychoanalyse – allerdings wurden sie dadurch nicht weniger präsent in ihrem Kopf: Sie sollte später, in *Die Jahre,* noch einmal auf sie zurückkommen und dann erneut in der memoirenhaften »Skizze der Vergangenheit«. Doch mit *Zum Leuchtturm* fing sie an, das Verhältnis zu ihnen selbst zu bestimmen.

Julia Jackson (später Julia Stephen), aufgenommen 1867 von
Julia Margaret Cameron.

Zunächst jedoch musste sie sie heraufbeschwören. In der Darstellung von Mr. und Mrs. Ramsay griff Virginia Woolf auf ihre eigenen Erinnerungen an die Eltern zurück und sah sie mit den Augen eines Kindes – genauer gesagt mit denen von acht Kindern, denn die acht im Alter ganz unterschiedlichen Ramsay-Kinder erlaubten ihr, ungefähr nachzuzeichnen, was es hieß, in dieser Familie aufzuwachsen. Trotzdem wollte sie Mr. und Mrs. Ramsay nicht nur in der leidenschaftlichen, zu Übertreibung neigenden und von den Eltern abhängigen Wahrnehmung eines Kindes zeigen, sondern auch so nüchtern und einfühlsam, wie ein erwachsener Mensch andere Erwachsene begreift. Und so schuf Virginia Woolf mit vierundvierzig ein Portrait ihrer Eltern in deren mittleren Lebensjahren und betrachtete sie dabei von Angesicht zu Angesicht. Als Vanessa das Buch las, merkte sie gleich, wie bedeutsam diese Begegnung war: »Es war, als würde man ihr [der Mutter] noch einmal begegnen, nur eben selbst erwachsen und auf Augenhöhe.«[4]

Bei der Auseinandersetzung mit ihren Eltern stieß Virginia auf Ähnlichkeiten mit sich selbst. Sie entdeckte Dinge, gegen die sie sich auflehnen musste, aber auch solche, denen sie beim besten Willen nicht entkommen konnte. Wenn sie sich also über den ichbezogenen Mr. Ramsay lustig macht, der mit wedelnden Armen umherspringt, Gedichte rezitiert und nach der Wahrheit sucht, findet sie damit eine ironisch-distanzierte Haltung zu ihrem Vater und auch zu sich selbst. Sie würde zwar nicht in alphabetischer Reihenfolge Kurzbiographien von Nationalhelden verfassen und ihr intellektuelles Leben nie als logische Abfolge von A bis Z begreifen. Aber Mr. Ramsays besessene Hingabe an seine Arbeit ist auch die ihre, ebenso wie sein Ehrgeiz, sein exzentrisches Verhalten, sein Schutzbedürfnis und das Ausrichten des eigenen Lebens an den Zitaten, die ihm ständig durch den Kopf schwirren.

Leonard Woolf und sein Spaniel Sally, portraitiert von Vanessa Bell. Im Juni 1925 schwärmte Virginia in ihrem Tagebuch von ihrem Alltag mit Leonard: »Eis zu machen, einen Brief zu öffnen, sich nach dem Dinner hinzusetzen, nebeneinander, & zu fragen ›Alles im Lot, Bruder?‹ – nun, was kann dieses Glück trüben?«

Das Bild, das Virginia von der Ehe der Ramsays zeichnet, ist zugleich eine Bestandsaufnahme ihrer eigenen Ehe. Die Entstehungszeit von *Zum Leuchtturm* fiel mit der leidenschaftlichsten Phase ihrer Beziehung zu Vita Sackville-West zusammen, und das Liebesverhältnis befeuerte den Roman. Trotzdem hatte er nichts mit Vita zu tun (»O nein, Du sollst ihn niemals lesen! Nur ein Gespenst ist er zwischen uns.«[5]). Ihre langjährige Ehe scheint auf Virginia Woolfs Schreiben viel mehr abgefärbt zu haben als diese neueste Liaison. Das Zusammensein mit Vita machte Virginia das zufriedene Leben mit Leonard bewusst, und genau zu dieser Zeit würdigte sie ihre Ehe auch auf bewegende Weise in ihrem Tagebuch. Sie verteidigt ihre »Tagtäglichkeit« und erklärt, dass zwar vieles am ehelichen Leben automatisch werde, die »Perle von Empfindung«, die sich immer wieder bilde, dafür aber umso intensiver sei, gerade weil sich ringsherum so viel unbewusste geteilte Erfahrung angesammelt habe.[6] Sie feiert das kleine Glück, zusammen mit dem Bus zu fahren, einen Brief zu öffnen oder »sich nach dem Dinner hinzusetzen, nebeneinander, & zu fragen ›Alles im Lot, Bruder?‹«.[7] Vor diesem Hintergrund schrieb sie die Szene nach dem Abendessen, als Mr. und Mrs. Ramsay am Ende des Tages endlich allein sind.

Trotz dieses intimen Einblicks in die Ehe der Ramsays steht Virginia Woolf doch sehr viel offensichtlicher außerhalb, in Gestalt von Lily Briscoe, wobei es allerdings zu einfach wäre, Lily als bloßes Portrait der Künstlerin zu lesen. In den frühen Fassungen spielt die Malerin, die ständig unterwegs ist, um Hecken zu malen, nur eine Nebenrolle. Später aber wird sie zur zentralen, mitgestaltenden Figur, zu der Frau, die versucht, sich selbst und ihr Verhältnis zur ganzen Familie Ramsay zu begreifen, indem sie Mrs. Ramsay und ihren Sohn malt, wie sie auf den Stufen des Hauses sitzen. Virginia Woolf

hätte aus Lily ohne weiteres eines der Ramsay-Kinder machen können, die Tochter der Frau, die sie portraitiert, wie
Virginia selbst es war. Stattdessen hat sie sich für einen weniger leicht bestimmbaren Standpunkt entschieden. Als Freundin steht Lily außerhalb der Familie. Sie erhält ihren Platz
durch eine starke, aber unklare Bindung an Mrs. Ramsay und
deren häusliche Welt. Eine gewisse erotische Anziehung lässt
sich durchaus vermuten, und es besteht wohl auch eine Verbindung zu Virginias Gefühlen für Vita, aber Virginia Woolf
hatte nicht die Absicht, die Beziehung zu vereindeutigen. Sie
gestaltet ihre Malerin gezielt als eine undurchsichtige Figur,
über deren Leben wir nichts erfahren.

In dieses Portrait fließen auch alte Ängste ein. Lily hat keine
Kinder, und das quirlige Familienleben bleibt ihr fremd. Sie
reagiert empfindlich auf Kritik und wird ständig von dem Gefühl verfolgt, Mr. Ramsay habe sie auf dem Kieker und wolle
sie verurteilen. Aber genau diese Lily triumphiert auch. Am
Ende ist sie es, die sagen kann: »Ich habe sie gehabt, meine
Vision.«[8] Während sie ihr Bild vollendet, stellt sie sich vor, wie
Mr. Ramsay beim Leuchtturm ankommt; ihr letzter Pinsel-
strich markiert das Ende seiner wie ihrer Reise. Und so kommen in der Vorstellungskraft der Künstlerin schließlich doch
noch alle zusammen und finden für einen Moment ihren Frieden, so wie die unvereinbaren Figuren aus *Die Wellen* im Kopf
des Schriftstellers Bernard weiterleben und am Ende nur
durch ihn noch eine Stimme erhalten.

Als Lilys »Vision« schließlich eintritt, ist sie ganz schlicht.
Sie sieht Mrs. Ramsay strickend auf den Stufen sitzen: »Da
saß sie.«[9] Darin klingt das Ende von *Mrs. Dalloway* an, als
Clarissa, die den Tod überwunden hat, wieder unter ihren
Partygästen erscheint: »Denn da war sie.«[10] Genau solche ein-
fachen Tatsachen tragen in Virginia Woolfs Erzählungen das

emotionale Gewicht. In vieler Hinsicht mag sie eine komplexe Autorin sein, aber sie strebt doch immer nach Aussagen, die aufs Äußerste reduziert sind. Lily muss nur einen letzten Strich in die Mitte ihres Bildes setzen, um es zu vollenden – aber es muss genau der richtige Strich sein: »Sie blickte auf die Stufen; sie waren leer; sie blickte auf ihre Leinwand; sie war verschwommen. Mit plötzlicher Zielstrebigkeit, als sehe sie sie einen Augenblick deutlich vor sich, zog sie dort eine Linie, in der Mitte.«[11]

Virginia Woolf arbeitete sich zu einer philosophischen Erklärung solcher Momente völliger Klarheit vor. Sie selbst kannte sie schon ihr Leben lang, als Schockmomente oder Offenbarungen, in denen etwas Verschwommenes auf einmal glasklar wird. Als sie eines Abends im Februar 1926 durch Bloomsbury ging – ein Jahr, nachdem sie am Tavistock Square mit einem Mal *Zum Leuchtturm* vor sich gesehen hatte –, schaute sie zum nächtlichen Himmel hinauf und dachte daran, dass derselbe Mond in Persien auf Vita herabschien, und sie verspürte »ein starkes & überraschendes Gefühl von etwas dort, was ›es‹ ist«.[12] Im selben Tagebucheintrag fragt sie sich: »Warum enthält das Leben nicht eine Entdeckung? Etwas, was man packen kann & sagen, ›Das ist es?‹«[13]

Die Frage durchdrang den ganzen Roman, an dem sie arbeitete, und mündete schließlich in Lilys ungewöhnlich bejahende Schlussvision. Aber Virginia Woolf glaubte nicht an Gott, und auch wenn sie »etwas dort« spürt, hat das doch nichts mit christlicher Gesinnung zu tun. Ihr strenggläubiger Atheismus ist Teil des Erbes, über das sie schreibt. Beide Eltern hatten ihren Glauben auf schmerzliche Weise verloren und sich das rationalistische Weltbild, das an seine Stelle trat, mühsam erarbeitet. Als Mr. Ramsay den Leuchtturm erreicht, steht er aufrecht im Bug des Segelboots, »als sagte er gerade,

Leslie Stephen, 1900. Im Mai 1927 äußerte Virginia in einem Brief an Vita, wie schwierig es sei, in *Zum Leuchtturm* über ihren Vater zu schreiben: »Ich glaube, ich war mehr wie er als wie sie, und bin deshalb wohl kritischer; aber er war ein reizender Mann und irgendwie kolossal.«

›Es gibt keinen Gott‹«.[14] Seinem Sohn James erscheint er in diesem Moment reichlich lächerlich, trotzdem behält die Szene eine gewisse Erhabenheit. Sie ist Teil einer starken religiösen Unterströmung in diesem Roman, der sich beharrlich bei der christlichen Bildsprache bedient und sie für die Darstellung des alltäglichen, profanen Lebens benutzt. Die Dinnergesellschaft ist ein feierliches letztes Abendmahl und die Fahrt zum Leuchtturm eine unerlässliche Pilgerreise. Lilys Bild steht in der langen Tradition von Darstellungen der Mutter Gottes mit dem Jesuskind, doch Lily verehrt nicht die Heilige Familie, sondern Mrs. Ramsay und ihren Sohn James.

Fünfzehn Jahre später, als Virginia Woolf sich Notizen für eine Autobiographie machte und dabei versuchte, ihr Bedürfnis zu schreiben zum Ausdruck zu bringen, kam sie auf etwas, was sie selbst als »Philosophie« bezeichnen konnte:

[...] dass sich hinter der Watte ein Muster verbirgt; dass wir – ich meine alle Menschen – damit verbunden sind; dass die ganze Welt ein Kunstwerk ist; dass wir Teil des Kunstwerks sind. *Hamlet* oder ein Beethoven-Quartett sind die Wahrheit über diese gewaltige Masse, die wir Welt nennen. Aber es gibt keinen Shakespeare; es gibt keinen Beethoven; gewiss und mit Bestimmheit gibt es keinen Gott; wir sind die Worte; wir sind die Musik; wir sind die Sache selbst.[15]

Sie hatte die fiktive Stimme von Mr. Ramsay angenommen, wie er im Bug des Bootes steht und beim Leuchtturm ankommt; aber hier klingt das alles andere als lächerlich.

7

FERIEN EINER SCHRIFTSTELLERIN: 1927–1928

Viele von Virginia Woolfs literarischen Bewunderern traf es wie ein Schock, als 1928, ein Jahr nach *Zum Leuchtturm, Orlando* erschien. Sein Ton war völlig anders als der in den früheren Romanen. Die Schriftstellerin Elizabeth Bowen erinnert sich an ihr Befremden: »Dieser *Orlando* – es gefiel uns gar nicht, wie er klang. Das Buch, so schien uns, sollte wohl eine Art Schabernack sein oder ein privater Ulk; und schlimmer noch, seine Entstehungsgeschichte war sehr persönlich.« Die Virginia Woolf, die sie bisher so verehrt hatten, war distanziert und unpersönlich. »Wir stellten sie uns weniger als arbeitende Frau vor, sondern als ein Licht, dessen Kreis immer größer wurde, je heller es strahlte [...] Kaum je wurde eine lebende Künstlerin derart idealisiert – buchstäblich.«[1] *Orlando* passte einfach nicht in dieses Bild.

Bis heute beherrscht eine solche abstrakte Vorstellung von Virginia Woolf viele Lesarten ihrer Werke – mit gutem Grund. Ein Teil ihres Reizes liegt aber auch in ihrer enormen Vielfältigkeit. Nachdem sie mit *Zum Leuchtturm* fertig war, den Roman ein halbes Jahr lang immer wieder neu abgetippt und all ihre Energie auf die Überarbeitung konzentriert hatte, brauchte sie eine Pause. Sie wollte etwas Schnelles, Vergnügliches schreiben. »Ich spüre wirklich ein Bedürfnis nach einer Eskapade«, schrieb sie im März 1927,[2] und nach einem Sommer voller Rezensionen konnte sie im Herbst endlich damit beginnen. Zunächst plante sie ein Buch über ihre Freunde, darunter auch Vita als »Orlando [...] ein junger Adliger«.³ Aber dieser junge Adlige beherrschte bald das ganze Vorhaben, und schon im Oktober schrieb Woolf rasch und »inmitten der größten Wonnen«.⁴ Im März war die erste Fassung fertig, und sie blickte zufrieden auf diese »Ferien einer Schriftstellerin« zurück.⁵

Von nun an gönnte Virginia Woolf sich fast immer ein vergnügliches Nebenprojekt, um sich bei Laune zu halten. *Flush*, ihre Biographie über Elizabeth Barrett Brownings Spaniel, sollte die Erholung von *Die Wellen* werden, und *Zwischen den Akten* verschaffte ihr die »Ferien« während der Arbeit an der Biographie über Roger Fry. Wir sollten aber keines dieser Bücher in eine spezielle Kategorie einordnen. Auch in Virginias besonders lyrischen Romanen findet sich einiges an Ferienstimmung. Macht man sich in *Zum Leuchtturm* auf die Suche nach der Verfasserin von *Orlando*, springt einem die flotte Gesellschaftskomödie darin ins Auge. Das ist wohl bis heute der am meisten vernachlässigte Aspekt dieses vielbesprochenen Romans: Mr. Ramsay, der die ganze Menschheitsgeschichte zwischen den Blättern der Geranien hervorschimmern sieht, oder Charles Tansley, der fragt, »ob einem seine Krawatte gefalle«. – »Das nun weiß Gott nicht, sagte Rose.«⁶

Virginia Woolf war auf faszinierende und ansteckende Weise geistreich. Ihre Witze mussten schnell sein, wie sich das für Witze gehört, und sie wollte *Orlando* so schreiben, »wie ich Briefe schreibe, mit äußerster Geschwindigkeit«.⁷ Von Anfang an ähnelte der Ton des Romans der flirrenden, schillernden Stimme aus ihrer Korrespondenz – vor allem aus den langen, sinnlich-neckischen Briefen an Vita Sackville-West. Jeder einzelne war ein Spiel intimster Lektüre, bei dem die Worte an die Stelle des Körpers traten: »Lies zwischen den Zeilen, Eselchen West; setz Deine Hornbrille auf, und Du wirst die kar-

Vita Sackville-West posiert als »Orlando um das Jahr 1840«. »Gibt es Dich?«, fragte sich Virginia in einem Brief vom März 1928: »Habe ich Dich mir nur ausgedacht?«

gen Hügelketten meiner Prosa in voller Blüte sehen wie die Wüste im Frühling: Veilchen und Violen, alle blühen sie, alle sprühen sie.«[8] Das ist die Stimme, die uns mitnimmt auf die wilde Jagd durch *Orlando*, uns durch ein Dickicht rasch erblühender Details lockt, ungerührt und gelassen, Nebensatz für Nebensatz, Phantasien weiterspinnt und sich so rasch voranbewegt, dass uns gar keine Zeit zum Protestieren bleibt, bis wir schließlich ans Ende eines Absatzes gelangen, wo uns drei kokette Pünktchen erwarten ...

Die Leser ihrer Briefe dürfte das Komödiantische an *Orlando* kaum überraschen, und auch thematisch ist der Text eng mit Virginia Woolfs anderen Werken verbunden. In einem Ton, der »halb lachend, halb ernst« ist, stellt er die ewig gleichen Fragen.[9] Wie groß ist der Unterschied zwischen Männern und Frauen? Haben unsere Vorfahren das Leben genauso erlebt wie wir? Worin besteht das Erbe unserer familiären Vergangenheit? Die letzte Frage verbindet das Projekt einer Familiengeschichte in *Zum Leuchtturm* mit ihren Träumereien über Vita Sackville-Wests Vorfahren in *Orlando*. Beide Bücher beschäftigen sich mit Vermächtnissen, mit der Frage, wie viel von Anfang an festgelegt ist und inwiefern wir frei sind, uns selbst zu erfinden. Orlando ist ihr eigener Vorfahr, aber gleichzeitig erschafft sie sich mit jedem Jahrhundert, das vergeht, wieder neu.

Es spricht für Virginia Woolfs Selbstvertrauen, dass *Orlando* nicht nur mit ihren früheren Romanen korrespondiert, sondern sich auch ganz unverhohlen über ihren berühmten Stil lustig macht. So enthält *Orlando* beispielsweise eine Parodie auf den Zwischenteil »Zeit vergeht« aus *Zum Leuchtturm*, und in gewisser Weise ist das ganze Buch eine ironische Version des »Verrinnens von Zeit«, über das sie, am Beispiel ihrer Freunde, hatte schreiben wollen. Virginia parodiert sich

Vanessa Bells Vorsatzblätter für *Flush*, Virginia Woolfs Biographie über den
Hund von Elizabeth Barrett Browning

auch noch auf andere Weise, sie karikiert sich selbst ebenso
sehr wie Vita: Als der große Dichter Nick Greene Orlando besucht, gibt er bei Tisch eine armselige Figur ab, redet nur
über seine Krankheiten, beschwört mit schlechtem französischen Akzent literarische Größe herauf und verdammt sämtliche anderen Schriftsteller seiner Generation in Bausch und
Bogen, wobei es sich wohlgemerkt um Shakespeare, Marlowe
und John Donne handelt. Virginia Woolf, die selber nicht besonders gut Französisch sprach, war sich ihrer geringschät-
zigen Haltung gegenüber Joyce durchaus bewusst. Und ihr
war auch klar, dass sie Vitas Dichtkunst nicht genügend gewürdigt hatte: Dem armen Orlando gelingt es nicht, auch nur
einmal das Wort auf sein eigenes Werk zu bringen, trotzdem
ist er unerklärlicherweise so bezaubert, dass er einfach immer
weiter zuhört, bis Greene das Landleben satt hat und sich wieder nach London begibt, wo er hingehört – und wo er umge-
hend die Feder in den Eierbecher taucht, der ihm als Tintenfass dient, und eine Satire auf seinen leidgeprüften adligen
Gastgeber verfasst.[10]

Obwohl Virginia in *Orlando* nicht die Umrisse aller ihrer
Freunde skizzierte,[11] wie sie es ursprünglich geplant hatte –
dieses Vorhaben floss dann in *Die Wellen* ein –, war das Buch
doch von ihrer langen Freundschaft mit Lytton Strachey geprägt. Seit zwanzig Jahren setzten sie sich voreinander in
Szene, versuchten, sich gegenseitig auszustechen, und wett-
eiferten darum, wer auf erotischem Gebiet mehr schockieren
konnte. Eine Phantasterei über einen Geschlechtswechsel hatte
gute Chancen, mit Stracheys berüchtigtem Bekenntnis zum
»Sodomismus« mitzuhalten, und eine Biographie über fünf-
hundert Jahre hinweg konnte womöglich auch noch eine so
kontroverse Form der Lebensbeschreibung in den Schatten
stellen, wie sie Strachey mit seinen *Eminent Victorians* gelun-

gen war: Ein oder zwei vielsagende Anekdoten ersetzten ganze Bände voll gewissenhaft zusammengetragener Einzelheiten. Strachey war der Ansicht, Virginia widme sich in ihren Romanen den falschen Themen und solle sich doch eher an etwas wie *Tristram Shandy* versuchen, und genau das tat sie mit *Orlando*. Sie hatte Sternes komisches Epos 1926 erneut gelesen und borgte sich seine Vorliebe für fiktive Vorwörter und Indizes, quälende Lücken, Doppeldeutigkeiten und Schriftstücke, die mitten im entscheidenden Satz plötzlich angesengt sind. Tristram tut sich schwer damit, auf die Welt zu kommen; Orlando seinerseits macht keine Anstalten zu sterben.

Mit *Orlando* reagierte sie also auch auf Lyttons Herausforderung. In erster Linie aber war der Roman ein ausführlicher Brief an Vita, den die ganze Welt lesen sollte. Virginia fing mit dem Schreiben an, als sich die intimste Phase der Affäre bereits dem Ende näherte. Vita war ihr zwar weiterhin aufrichtig zugetan, hatte aber erkannt, dass Virginia zu keiner dauerhaften erotischen Bindung fähig war, und suchte die verlässliche Intimität, die sie sich wünschte, inzwischen bei anderen Frauen. Ein wenig sollte *Orlando* sie beide über die Tatsache hinwegtrösten, dass sie kein Liebespaar bleiben würden, und für Virginia bot das Buch einen Weg, mit ihrer Eifersucht fertig zu werden, Vita liebevoll zu bestrafen und das zu würdigen, was sie geteilt hatten. Seit dem Weihnachtsfest 1925 hatte es Tage gegeben, an denen Vita »rosaglühend, klunker- und perlenbehangen« erschien: Sie hatte »den Glanz & das Schmeicheln & die Festlichkeit« in Virginias Leben gebracht.[12] Während Vitas langer Auslandsaufenthalte spielte Virginia die vor Sehnsucht vergehende Liebende, die »hartnäckig, trübsinnig, treuherzig« auf ihre Rückkehr wartete und vor der Macht der eigenen Gefühle erschrak.[13] Sie hatten lange Unterhaltungen am Kamin geführt, und hin und wieder hatten sie auch mitei-

Lytton Strachey, Virginia Woolfs großer Freund, Rivale und literarischer
Komplize, hier portraitiert von Dora Carrington, mit der er in Tidmarsh Mill
und später in Ham Spray House lebte.

nander geschlafen. »Zwei Mal«, laut Vita; allerdings schrieb
sie das in einem Brief an ihren Mann, dem sie versicherte, es
handele sich eher um eine geistige als um eine körperliche
Liebe.[14] Das mag durchaus der Wahrheit entsprechen: Fest
steht jedenfalls, dass Vita fürchtete, Virginia könnte ihretwe-
gen krank werden. Und auch Virginia selbst war sich dieser
Gefahr wohl bewusst. Beide hatten sie sich ab einem gewis-
sen Punkt zurückgehalten:

Vorgestern abend, im Gespräch mit Lytton, bat er mich plötzlich, ihn
in Liebesdingen zu beraten – ob man weitergehen solle, bis man in
den Abgrund stürzt, oder oben auf dem Gipfel verharren. Hör auf, hör
auf!, rief ich, denn ich musste natürlich gleich an Dich denken. Was
würde wohl geschehen, wenn ich mich fallen ließe? Sag mir das. In
was?, wirst Du jetzt fragen. In einen Abgrund namens V.[15]

Zu viel stand auf dem Spiel, um sich fallen zu lassen. Ende
1927 war Virginia Woolf in Sicherheit und konnte das Schwin-
delgefühl oben auf dem Gipfel genießen, indem sie in *Orlando* darüber schrieb. Der Roman geißelt die Prüderie, schwelgt
dabei aber in einer Fülle von Verschleierungen, üppiger als
jeder Faltenwurf. Körperteile werden dem flüchtigen Blick
nur einzeln enthüllt. Wie die Liebesgedichte aus dem 16. Jahrhundert, die jeweils nur die Augen, den Mund, den Hals, die
Wangen der Geliebten preisen, so wandert das erzählerische
Auge in *Orlando* immer wieder zu einer Hand oder einem
Fuß. Orlandos Beine finden übertrieben häufig Erwähnung.
»Wie schrecklich bedauerlich«, seufzt Nell Gwyn, als Orlando sich nach Konstantinopel einschifft, »dass ein solches
Paar Beine das Land verlassen sollte«.[16] Und nach der Ver-
wandlung zur Frau muss Orlando sich vorsehen, kein Stück-
chen Bein zu enthüllen, weil sonst jeder Matrose in Sichtweite

so verwirrt wäre, dass er Gefahr liefe, kopfüber vom Mast zu stürzen.[17]

Die Sinnlichkeit liegt, wie immer bei Virginia Woolf, nicht im Akt, sondern in der Verlockung. Das entsprach ihren eigenen Vorlieben, es war aber auch eine ganz pragmatische Taktik, die es ihr erlaubte, ein ausführliches Loblied auf eine lesbische Frau zu veröffentlichen – zu einer Zeit, als noch die langweiligsten, unerotischsten lesbischen Romane, allen voran Radclyffe Halls *Quell der Einsamkeit,* der Zensur zum Opfer fielen. Durch eine Verkettung von Umständen, die Virginia Woolf so geschickt einfädelt, als hätte ihre Hauptfigur einfach nur Glück, verliebt sich Orlando nie ernsthaft in jemand Gleichgeschlechtliches: Er/sie wechselt das Geschlecht passend zu den jeweiligen Verehrerinnen oder Verehrern.

Virginia sah Vita als eine Frau, die viele Ichs in sich vereinte: Ehefrau, Mutter, Geliebte, Mann, Frau, Schriftstellerin, Gärtnerin, Adlige, Zigeunerin, und das inspirierte sie zu diesem fiktiven Formwandler, der im Lauf der Jahrhunderte zahllose Rollen spielt, sich den verschiedensten Gesellschaftsstrukturen anpasst und dabei doch immer unverkennbar er oder sie selbst bleibt. Der Text schwelgt in Metamorphosen, die eines Ovid würdig wären, von Orlandos eigenen Verwandlungen bis hin zu der jungen Frau aus Norwich, die im eisigen Wind zur Staubwolke wird. Der Geist von Shakespeares Komödien sitzt immer dicht unter der Oberfläche, samt seinem heiteren Gespinst aus Verwechslungen und Verwirrungen. Als Virginia Orlando im 17. Jahrhundert als Außerordentlichen Gesandten nach Konstantinopel schickt, denkt sie an Vitas Aufenthalt in Persien, wo ihr Mann Harold Nicolson als Diplomat tätig war. Gleichzeitig spielt sie auf Vitas exotische Seite an, die mit ihrer familiären Herkunft zu tun hat, mit Vitas Großmutter Pepita nämlich, einer spanischen Tänzerin, die von Zigeunern abstammte.[18] Entsprechend schließt sich auch Orlando eine Zeit lang den Zigeunern an und spielt, ganz in der Tradition Shakespeares, den Adligen und Vogelfreien in einer Person.

Wenn Vita auf Reisen ging, blieb Virginia meist in England und schrieb ihr Briefe über die Schönheiten des englischen Frühlings. Aber auch in Virginia steckte ein starker Wandertrieb und außerdem einiges von Orlandos abenteuerlustiger Wandlungsfähigkeit. Zwischen zwanzig und dreißig war sie viel durch Europa gereist, in die Türkei, nach Griechenland und nach Italien. Nach *Mrs. Dalloway* folgte ein langer Aufenthalt bei Gerald Brenan in der spanischen Sierra Nevada. Dort kam sie nach einem mehrere Tage währenden, mühevollen Maultierritt durch die Einöde an. Und als Vanessa dazu überging, große Teile des Jahres in Südfrankreich zu verbringen, machten Leonard und Virginia häufiger Urlaub in Cassis in der Nähe von Marseille. Das taten sie 1927, 1928 und 1929 und genossen die Wärme und den Lebensrhythmus dort. Virginia war so begeistert, dass sie sich auf die Suche nach einem Haus machte, alles für den Kauf einer kleinen Villa in die Wege leitete und bereits eine Ladung Möbel bringen ließ, bis Leonard sie doch noch überzeugen konnte, dass es unpraktisch sei, ein Haus viele hundert Kilometer von ihrer beider Arbeitsplatz entfernt zu besitzen. In späteren Jahren folgten Abenteuer mit den Frys in Griechenland und beschwingte Chianti-Nächte in Italien. Jedes Mal nahm Virginia Woolfs reicher Fundus an Metaphern etwas Lokalkolorit auf. Nach einem Spanienurlaub war selbst das Schreiben nur noch, »als würde man eine Tortilla wenden«.[19] Jedem Ort, an den sie fuhr, schwor Virginia unsterbliche Liebe. Sie wollte jeden neuen Anblick, jedes neue Gefühl in Worte fassen. Selbst während sie im Zug von Griechenland nach Hause

Roger Fry, *View of Cassis*, 1925. Vanessa Bell und Duncan Grant hatten sich ein Haus in Cassis gebaut, und die Woolfs verbrachten in den Zwanzigerjahren mehrere Urlaube bei ihnen. Schwirrende Falter, quakende Frösche, Wärme, Licht und gutes Essen: Virginia genoss das alles so sehr, dass sie dort beinahe selbst ein Haus gekauft hätte.

durchgerüttelt wurde, schrieb und schrieb sie immerzu, bis ihr die Augen wehtaten. Sie würde sich im Ausland nie so zu Hause fühlen wie Vanessa und Vita, aber die Sonne brachte ihre Phantasie auf völlig neue Weise in Fluss.

Ende Oktober 1928, kurz nach der Veröffentlichung von *Orlando*, hielt Virginia Woolf ihre legendären Vorträge in Cambridge, aus denen ihr buchlanger Essay *Ein eigenes Zimmer (A Room of One's Own)* hervorgehen sollte. Er zählt zu den höchstgelobten und kontroversesten Auseinandersetzungen mit weiblicher Freiheit und zieht seine Schlagkraft vor allem aus dem Einsatz von Andeutungen und Indirektheiten. Sein Stil verdankt sich größtenteils dem verwegenen Vorgehen in Virginia Woolfs »Ferienromanen«: Man kritzelt, man summt vor sich hin, man isst und trinkt und schüttelt nebenbei die fiktive Biographie von Shakespeares Schwester aus dem Ärmel. Doch der Essay handelt auch von dem, was der Titel ankündigt: dass eine Frau nämlich Geld braucht und ein eigenes Zimmer. Virginia Woolf stellt die Bedeutung solcher materiellen Annehmlichkeiten heraus, die es einer Frau erst erlauben, ihre ganze Energie in ihr intellektuelles Leben zu stecken; man kann nämlich schlecht Gedichte schreiben, wenn man friert oder ständig unterbrochen wird oder eine Pastete zubereiten muss. Außerdem spricht sie sich ganz ungeniert für die Vorzüge materieller Güter generell aus. Warum, fragt sie, sollte eine Frau nicht gut zu Abend essen und einen bequemen Sessel haben, in dem sie sitzen kann? Und sie vergleicht die spärlichen Dörrpflaumen, die am Frauencollege serviert werden, mit dem Festmahl, das die Männer eine Straße weiter genießen dürfen.

Sie selbst zog große Genugtuung aus ihrer Fähigkeit, eigenes Geld zu verdienen, und wollte dieses Geld zu Dingen

Sissinghurst Castle in Kent, wo Harold Nicolson und Vita Sackville-West ab 1930 lebten.

machen, die ihre Lebensqualität steigerten. Immer wieder staunte sie über den alchemistischen Vorgang, durch den die Produkte ihrer Phantasie sich in Vasen oder Sessel verwandelten: *Mrs. Dalloway* finanzierte ein Badezimmer in Monk's House sowie zwei Toiletten mit Wasserspülung (von denen eine als »Mrs Dalloway's Lavatory« bezeichnet wurde) und *Zum Leuchtturm* ein Automobil. So wie das in *Ein eigenes Zimmer* erwähnte opulente Mittagsmahl trägt auch das Auto zu einer Erweiterung des geistigen Horizonts bei, die wiederum die Qualität des Schreibens verbessert. Wir spüren die Wirkung des Singer-Automobils, das die Woolfs besaßen (und das sie »The Lighthouse« nannten), auf den Seiten von *Orlando*. Die einzelnen Szenen fliegen nur so vorbei, die Welt öffnet sich. Virginia war keine sonderlich begabte Autofahrerin, obwohl Vita ihr in den Kensington Gardens Fahrstunden gab, und nach ein paar halsbrecherischen Ausflügen übernahm Leonard ein für allemal das Steuer. Trotzdem fühlte sich Virginia durch das Auto frei wie noch nie. Als Nächstes ließ sie sich mit den Erlösen aus *Orlando* ein neues Zimmer in Monk's House einrichten: das eigene Zimmer, in dem sie schreiben und träumen konnte.

Der Gedanke der literarischen Vermächtnisse in *Ein eigenes Zimmer* entspricht der Idee der ununterbrochenen Erbfolge in *Orlando*. In ähnlicher Weise, wie die Orlando der Gegenwart sämtliche Erfahrungen ihres Renaissance-Ichs in sich trägt, ist Virginia Woolf Shakespeares Schwester, setzt ihre Arbeit fort, baut auf den Grundfesten auf, die diese vergessene Frau gelegt hat, obwohl ihre eigene Welt sie nicht schreiben lassen wollte. Virginia Woolfs Antwort an ihre literarischen Ahninnen in *Ein eigenes Zimmer* ist ebenso autobiographisch wie ihre Familienerinnerungen. So konkurrenzbewusst sie auch sein mochte, war sie doch zutiefst von der

Existenz gemeinsamer Anstrengungen und familiärer Verbindungen überzeugt. »Bücher setzen einander fort«, schreibt sie, »ungeachtet unserer Gewohnheit, jedes einzeln zu beurteilen.«[20]

Schon mit ihrem nächsten Buch sollte Virginia Woolf die Arbeit von *Orlando* und *Ein eigenes Zimmer* fortsetzen, obwohl es völlig anders aussah. In dem »mystischen«, ernsten, sondierenden Roman, den sie zwischen 1929 und 1931 schrieb, sinniert sie erneut über die vielen Rollen, die jeder Einzelne zu spielen hat, und die vielen Menschen, die jeden von uns zu dem machen, was wir sind. Es waren die Umrisse all ihrer Freunde, mit denen sie bereits früher begonnen hatte und die dann von Vita verdrängt worden waren. Jetzt stellte sie sich das Leben ihrer Freunde als so miteinander verflochten vor, dass ein Leben das andere tatsächlich »fortsetzte«.

8

STIMMEN: 1929–1932

Die Wellen (The Waves) ist ein Buch der Stimmen. Sechs Figuren, drei Männer und drei Frauen, sprechen abwechselnd, äußern ihre jeweiligen Freuden und Ängste und setzen sich in Beziehung zu den anderen fünf, finden heraus, worin sie sich unterscheiden und worin sie sich ähneln. Als Kinder spielen sie alle zusammen im Garten, dann gehen die Jungen fort, ins Internat, auf die Universität, zur Arbeit, und die Mädchen richten sich in ihrem jeweiligen häuslichen Leben ein. Sie gründen Familien; sie trennen sich; sie kommen wieder zusammen. Sie werden älter, sie werden zu Konkurrenten, sie gehen getrennte Wege, und trotzdem fühlen sie sich weiter miteinander verbunden durch eine unbestimmte Strömung, die durch sie alle hindurchfließt. »Denn dieses ist nicht ein einziges Leben; und ich weiß auch nicht immer, ob ich ein Mann oder eine Frau bin, Bernard oder Neville, Louis, Susan, Jinny oder Rhoda – so seltsam ist die Berührung des einen mit dem anderen.«[1]

Eines der Bilder, aus dem sich das Buch zu entwickeln begann, war Vanessas Beschreibung einer großen Motte, die immer wieder gegen eine Fensterscheibe ihres Hauses in Cassis flatterte, als sie dort saß und an ihre Schwester schrieb, »während die Motten wie verrückt rund um mich & die Lampe kreisen«.[2] Virginia Woolf wählte »The Moths«, »Die Motten«, als Arbeitstitel für ihren neuen Roman, sie stellte sich vor, dass ihre Figuren alle zu etwas hingezogen würden wie die Motten zum Licht, ein Gedanke, der sie begleitete, seit sie als

Kind abends im Garten auf Nachtfalterjagd gegangen war. Anstelle des Lichts erdachte sie eine siebte Figur, Percival. Wie Jacob ist auch er von Anfang an abwesend, ein Mensch, den wir nur über andere kennenlernen. Und wie Jacob und Virginias Bruder Thoby Stephen stirbt dieser charismatische und doch schwer fassbare junge Mann früh und lässt seine Freunde zurück, die im Gedenken an ihn zusammenfinden.

Beim Schreiben las Virginia noch einmal Thobys Briefe, und im September 1930 notierte sie, dass er jetzt fünfzig geworden wäre. Sie überlegte, ob sie wohl seinen Namen und seine Lebensdaten an den Anfang ihres Romans setzen und das Buch damit ausdrücklich zu einer Totenklage erklären könnte. Darüber hatte sie bereits bei *Jacobs Zimmer* nachgedacht und sich dann gegen eine so konkrete, persönliche Würdigung entschieden. Auch *Zum Leuchtturm* hatte sie nicht ihren Eltern gewidmet – und auch sonst niemandem. »Das soll *die* Kindheit sein«, notierte sie, während sie die ersten Teile der *Wellen* schrieb, »es darf aber nicht *meine* Kindheit sein.«[3] So verzichtete sie auf eine Widmung und ließ das Buch stehen als universelles Klagelied und als Roman über die Verbindungen zwischen Menschen, die über viele Jahre hinweg aneinander denken.

Keine der Figuren ist ein lebensechtes Portrait, und das ganze Buch bleibt bemerkenswert unpersönlich, obwohl es viele Momentaufnahmen der Menschen enthält, die Virginia Woolf am meisten bedeuteten. Da ist Susan, die ein Haus auf dem Land und Kinder hat und vom kinderlosen Neville darum beneidet wird, und in Louis, der nach der Arbeit seinen Stock aufhängt und Gedichte schreibt, flackert kurz T. S. Eliot auf – wobei Eliot weitaus mehr Tribut mit dem Netz aus Anspielungen auf *Das wüste Land* gezollt wird, das sich durch das ganze Buch zieht. Diese Menschen stecken alle voller Eigenheiten, prägen sich dem Leser aber gleichzeitig als etwas wie Archetypen ein. Sie haben jeder ein eigenes Leben, stehen aber auch für bestimmte Arten von Erfahrungen, bestimmte Charakterzüge. So erleben wir zum Beispiel Jinny als ganz und gar individuell, aber auch als das Society-Geschöpf, das erst auf einer Party, umgeben von Lichtern und Musik, richtig zum Leben erwacht.

»Die sechs Figuren sollten eigentlich nur eine sein«, schrieb Virginia Woolf.[4] Sie sind die Gemeinschaft ihrer Freunde und gleichzeitig die Gemeinschaft der vielen verschiedenen Personen, aus denen sie selbst zu bestehen meinte. Jede der Figuren äußert Dinge, die Virginia Woolf selbst in ihrem Tagebuch festgehalten hat, und jede hört sich im einen oder anderen Moment genauso an wie sie. Im Garten von Monk's House konnte sie Susan sein; und obwohl Neville, der Altphilologe, genau das bürgerliche Leben führt, das Virginia selbst niemals wollte, muss er sich doch auf ähnlich nervöse Weise wie sie seines eigenen Werts versichern und tastet in der Tasche nach seinen »Beglaubigungsschreiben«.[5] So wird in *Die Wellen* Clarissa Dalloways fruchtbarer Gedanke weiterentwickelt, dass wir alle vieles gleichzeitig sind: »Heute würde sie von niemandem auf der Welt behaupten, er sei dies oder sei das.«[6] Virginia Woolf widmete einen Großteil ihres Schriftstellerlebens dem Versuch, solche Kategorien aufzuheben und zu zeigen, wie verkehrt es ist, jemanden als »dies« oder »das« zu definieren.

Wenn die Figuren aus *Die Wellen* auf einer Ebene »nur eine« Figur sind, ist es auch nicht so gravierend, dass wir manchmal den Überblick verlieren, wer gerade spricht. Es gehört zum Wesen dieses Romans, dass die Stimmen ineinander fließen; obwohl sie von unterschiedlichen Dingen sprechen, tun sie dies im selben Rhythmus. »Ich folge beim Schreiben

»Ein Samenkorn fiel und schaukelte in Spiralen abwärts; ein Blütenblatt fiel,
sog sich voll und versank. Worauf die Flotte aus schiffchenförmigen Körpern
innehielt; im Gleichgewicht; gerüstet; gepanzert; und dann, in schwanken-
der Wellenbewegung, auf und davon flitzte.« Immer wieder gleiten Fische
durch Virginia Woolfs Romane, wie hier in *Zwischen den Akten*. Das Photo
zeigt Leonard Woolf beim Füttern der Fische in Rodmell, um 1932. (Man
beachte die große Bonbondose, die hier umfunktioniert wurde: Die Woolfs
hatten beide eine Schwäche für Süßigkeiten).

einem Rhythmus und keiner Handlung«, sagte Virginia Woolf dazu.[7] Das abendliche Ritual, mit Leonard Schallplatten zu hören, barg die fruchtbarsten Augenblicke ihres Arbeitstags. Den wesentlichen Durchbruch bei schwierigen Passagen des Romans erzielte sie oft, während sie Musik hörte. Und weil das Buch einem Rhythmus folgt, müssen ihre Leser den Takt schlagen. Es hat gar keinen Sinn, zu schnell lesen zu wollen: Virginia Woolf zwingt uns, langsamer zu werden, dem Tempo ihrer Figuren und deren scharfer Beobachtung ihrer eigenen Welt zu folgen. In ihrer Wahrnehmung behalten sie eine Art kindliches Staunen, auch als sie längst erwachsen sind. Ihre Monologe stehen im Präsens, als hätten sie, wie es bei Erwachsenen so selten vorkommt, einfach mittendrin innegehalten und einen Augenblick lang verwundert nachgedacht. *Die Wellen* ist womöglich Virginia Woolfs kompliziertestes Buch, aber es ist auch das Buch, in dem wir den kindlichen Ton in ihrer Stimme am deutlichsten heraushören.

Virginias Freunde äußerten sich häufig über ihre unerschöpfliche Neugier und ihre Freude an Einzelheiten. Das machte auch einen Teil der Anziehung aus, die sie auf Kinder ausübte. Vita Sackville-Wests Sohn Nigel Nicolson erinnert sich, wie sie ihn einmal fragte, was er an einem bestimmten Tag erlebt habe:

Ich antwortete, »Na, nichts habe ich erlebt. Ich bin gerade von der Schule gekommen, und jetzt bin ich hier.« Sie sagte, »Oh, das reicht nicht, fang von vorne an. Was hat dich geweckt?« Ich sagte, »Es war die Sonne – die Sonne, die in meinem Zimmer in Eton durchs Fenster kam.« Dann beugte sie sich sehr eifrig und gespannt vor und sagte, »Was für eine Sonne war es? Eine fröhliche Sonne, oder eine zornige Sonne?« Auf die Art zeichneten wir meinen Tag Minute für Minute nach [...].[8]

In Virginia Woolfs Händen wird diese aufgehende Sonne mit ihrem veränderlichen Licht zum lyrischen Rahmen für einen Roman, in dem es gar nicht sein kann, dass man »nichts erlebt«.

Die Wellen kamen nicht als plötzliche Eingebung, so wie *Zum Leuchtturm*. Den ganzen Herbst 1929 experimentierte und verwarf Virginia, bis ihre Schreibkladde aussah »wie der Traum einer Irren«.[9] Sie konnte sich nicht entscheiden, wo sie selbst im Verhältnis zu ihren Figuren stehen sollte: »Bin ich außerhalb des Denkenden?«[10] Im neuen Jahr fand sie schließlich ihren Rhythmus und fühlte sich dabei, »als würde man sich durch Ginster hindurchkämpfen«, um ins Zentrum zu gelangen.[11] Das Bild ruft die strammen Familienwanderungen der Stephens durch die trockene, ginsterüberwucherte Landschaft Cornwalls auf den Plan, in die Virginia in ihrer Vorstellung zurückkehrte, während sie die Kindheitspassagen des Buches schrieb. Sie wählte häufig solche betont physischen Bilder für ihre Fortschritte beim Schreiben. Obwohl sie, wie sie es selbst ausdrückte, ein »mystisches blickloses Buch« schrieb,[12] widmete sie sich dieser Aufgabe wie eine Sportlerin oder wie ein Rennpferd. Das Jahr unterteilte sich für sie in »Etappen«: die drei Monate in Rodmell von Juli bis September, die Zeit bis Weihnachten in London, dann die Neujahrsetappe, die sich bis zu den Osterferien erstreckte, und die Zielgerade in London von Mai bis Juni, bevor man wieder für den Sommer nach Sussex aufbrach. Intellektuelle Probleme betrachtete sie als »Hürden«, vor denen sie nicht scheute. Sie trieb sich selbst durch alle Gangarten: erst das Aufwärmen, dann der Galopp. Sie freute sich an der eigenen Effizienz und Beharrlichkeit in dieser beständigen Tretmühle. Sie war das romantische Genie, das am Schluss von *Zum Leuchtturm* den Satz schrieb: »Ich habe sie gehabt, meine

Vanessa Bells Umschlagmotiv für *Die Wellen*. Am 7. Februar 1931, dem Tag, als Virginia Woolf den Roman beendete, blickte sie zufrieden auf dessen merkwürdige Anfänge zurück: »Ich meine, dass ich diese Flosse in der Wasserwüste ins Netz bekommen habe, die mir über den Marschwiesen vor meinem Fenster in Rodmell erschienen war, als ich *Zum Leuchtturm* beendete.«

Vision«, aber sie war auch das Arbeitstier, das sich selbst anspornte, Wetten auf sich abschloss und, nachdem sie eine schwierige Passage der *Wellen* bewältigt hatte, notierte: »Jedenfalls habe ich meine Hürde genommen.«[13] Niemand zwang sie dazu: Sie hätte ohne weiteres auch ein zugänglicheres Buch schreiben und ihren Lesern eine Freude machen können, indem sie eine der Methoden wiederholte, die man bereits von ihr kannte. Aber das überließ sie Vita, die der Hogarth Press mit ihrem Roman *The Edwardians* ein kleines Vermögen einbrachte, und nahm ihrerseits lieber weiter ihre selbsterrichteten Hürden.

Um die Latte immer höher zu legen, maß sich Virginia Woolf an den großen Dichtern der Vergangenheit. Sie schrieb sich Zitate von Byron ab, baute einen anspielungsreichen Dialog mit Shelley in *Die Wellen* ein, und eine Zeit lang las sie jeden Morgen nach der Arbeit eine halbe Stunde in Dantes *Inferno* und verglich dessen epische Bandbreite und Rhythmik mit dem, was sie selber schrieb. Immer wieder kam sie auf Shakespeares Werke zurück, um sich herauszufordern – und zu überprüfen, ob er immer noch besser war als sie, was er jedes Mal war. Eingedenk der griechischen Tragödie wünschte sie sich, dass ihre Figuren sich wie »Statuen [...] vor dem Himmel abheben.«[14] Als Schriftstellerin war sie immer noch von demselben leidenschaftlichen Ehrgeiz erfüllt wie mit fünfundzwanzig, als sie notierte, sie wolle »ein solches Englisch schreiben, dass die Seiten einmal Funken sprühen.«[15] Und während der Arbeit an *Die Wellen* hatte sie das sichere Gefühl, dass dieser Tag gekommen war. Mit Bernards Schlussmonolog hatte sie nichts Geringeres im Sinn, als »Prosa in Bewegung« zu versetzen, »wie – ja, das schwöre ich – Prosa nie zuvor in Bewegung versetzt worden ist: vom Gekicher & Gebrabbel bis zur Rhapsodie.«[16]

Während sie *Die Wellen* schrieb, war Virginia Woolf mehrmals krank, aber sie tat ihr Bestes, diese Phasen zu akzeptieren. Es gelang ihr gerade so, daran zu glauben, dass in diesen »merkwürdigen Lebensintervallen«[17] ein schöpferisches Potential steckte, und sie konnte sogar genügend ermutigende Präzedenzfälle anführen: *Ein eigenes Zimmer* hatte sie fast vollständig im Bett konzipiert. »Nichts zu tun ist oft der ergiebigste Weg für mich«, schrieb sie im Februar 1930, und auch im September desselben Jahres maß sie ihren »Zeiten des Schweigens« großen Wert zu.[18] Sie löste die Angelegenheit auf gewohnt pragmatische Weise und schloss einen Pakt mit ihrer Krankheit: Sie erduldete sie und durfte im Gegenzug von ihr profitieren.

Virginia beendete das Buch in einem Zustand so intensiver Erregung, dass ihr Stift kaum noch mit ihren Gedanken Schritt halten konnte:

Ich habe die Worte O Tod vor fünfzehn Minuten niedergeschrieben, nachdem ich durch die letzten zehn Seiten mit Momenten solcher Intensität & Berauschtheit getrudelt bin, daß mir schien, ich stolperte nur noch meiner eigenen Stimme hinterher, oder fast einer Art von Sprecher (wie als ich verrückt war). Ich bekam beinahe Angst, weil ich mich an die Stimmen erinnerte, die mir früher manchmal vorausflogen.[19]

Sie vergleicht ihr Schreiben mit ihrer Krankheit, doch die Krankheit wird hier nicht als Maßstab des Schmerzes oder der Angst herangezogen wie vielleicht in früheren Jahren. Sie schreibt, sie habe »beinahe Angst« bekommen: Doch jetzt gibt es etwas, was die Angst gerade noch im Zaum hält.

Die andere große Geschichte, die Virginia Woolfs Leben in den Jahren 1930 und 1931 beherrschte, war die Freundschaft mit

der Komponistin Ethel Smyth. *Die Wellen* waren schwer fass-
bar, raunend und unpersönlich; die Siebzigjährige dagegen,
die Anfang des Jahres 1930 in Virginias Leben marschiert
kam, war laut, hartnäckig und redete meistens über sich selbst.
Sie wussten schon seit Jahren voneinander und hatten beide
die Bücher der anderen gelesen – Ethel Smyth veröffentlichte
Autobiographien in schneller Folge –, doch erst jetzt, angeregt durch *Ein eigenes Zimmer,* hatte Ethel schließlich Kontakt
aufgenommen. Am 21. Februar kam sie am Tavistock Square
zum Tee. Das Fundament der Freundschaft wurde bereits gelegt, als sie mit Virginia die Treppe zum Salon hinaufging;
danach unterhielten sie sich mehrere Stunden lang »ununter-
brochen«, und als sie sich verabschiedeten, war jede zur neuen
Protagonistin im Leben der anderen avanciert.[20] »Ich möchte
reden, reden, reden«, schrieb Virginia wenig später an Ethel,
»über die Musik, über die Liebe.«[21] Und genau das tat sie.
Viele der am häufigsten zitierten Aussagen über Virginia
Woolfs Leben stammen aus ihren langen Briefen an Ethel, in
denen sie – durchnummeriert, in Anlehnung an Ethels bodenständigen Stil – ihre Einstellung zu Sex, zur Arbeit und zu
ihrer Vergangenheit darlegt. Das hing sicher mit ihrem Gefühl zusammen, älter zu werden, und mit dem Wunsch, Bilanz
darüber zu ziehen, was sie aus ihrem Leben gemacht hatte.
Aber warum wollte sie ausgerechnet mit Ethel Smyth reden?
    Ethel war eine wandelnde Karikatur. Virginia und ihre
überraschten Freunde hatten jedes Mal einen Heidenspaß mit
»dem Gelärme & dem Aufruhr & der Selbstbezogenheit«[22]
dieses schwergewichtigen, halb tauben, unverblümten sieb-
zigjährigen Schlachtrosses des Feminismus. Ethel hatte seinerzeit zusammen mit Emmeline Pankhurst im Gefängnis
gesessen, und sie hatte die Sufragetten-Hymne »The March of
the Women« komponiert. Mit militärischem Stolz – schließ-

144

Virginia Woolf und Ethel Smyth in Monk's House. Ethel Smyth war über siebzig und schwerhörig, doch nichts konnte ihren Redeschwall bremsen.

lich war sie die Tochter eines Generalmajors, wie Virginia ihr immer wieder in Erinnerung rief – hatte sie für ihre Rechte gekämpft. Aber sie hatte bei ihrem lebenslangen Feldzug für die Freiheit einen Ansatz gewählt, der Virginia Woolfs subtilem, ironischem Experimentalismus diametral entgegenstand, und genau dafür schätzte Virginia sie. Es gehört zu den Konstanten in Virginia Woolfs Leben, dass sie Menschen liebte, die ganz anders waren als sie – allen voran Vita und Ethel. Sie hatte kein Bedürfnis, ihnen begreiflich zu machen, was sie mit ihrem Schreiben bewirken wollte, und obwohl sie sich treue Hingabe wünschte, stellte sie sich immer wieder vor, wie das Leben der anderen in ihrer Abwesenheit aussah. »Wenn ich Dich ein nächstes Mal besuchen sollte«, schrieb sie sanft und bewegend an Ethel, nachdem sie bei ihr in Woking gewesen war, »dann öffne mir bitte nicht selbst. Ich möchte Dich inmitten Deiner Sachen finden.«[23]

Auf dem Höhepunkt ihrer Beziehung schrieb Ethel täglich ellenlange Briefe, dazwischen trafen häufig Telegramme ein, und ihre persönlichen Besuche, mit Einladung oder ohne, kamen einem Sturm gleich. Bisweilen fühlte sich das Ganze an, »als kreise ein Gewitter über Dir«.[24] Es lenkte Virginia enorm von der Arbeit ab; bisher hatten nur Leonard, Vanessa und Vita derartig viel Zeit für sich beanspruchen dürfen. »Sollte ich sie zurückhalten & zügeln?«, überlegte sie,[25] aber Ethels Kompromisslosigkeit machte ja einen Teil des Reizes aus. Eine maßvolle Freundschaft, das wäre ein Widerspruch in sich gewesen. Und so ließ Virginia das ganze Trara weiterlaufen, räumte Ethel einen Platz in ihrem Leben ein und hing schließlich an ihr wie an einer Geliebten.

Virginia Woolf war nicht in Ethel Smyth verliebt, auch wenn Ethel ihrerseits ihre Verliebtheit ganz offen zeigte. Virginia wurde mitgerissen, bemuttert, herausgefordert und mit neuer Energie beschenkt, aber Ethel löste nie die Art von Phantasien in ihr aus, die nur so sprudelten, wann immer Virginia an Vita dachte. Eine Zeit lang spielte sie Vita gegen »dieses alte, muschelverkrustete Seeungeheuer«[26] aus und erfreute sich am wohligen Schauer von Vitas Eifersucht. Sie dachte über die Unterschiede zwischen Liebe und Freundschaft nach. Der gesellschaftliche Zwang, erotische Gefühle genau zu benennen, gehörte zu den Themen, über die sie an Ethel schrieb: »Die Menschen sind im Irrtum, meine ich, wenn sie diese ungeheuer vielgestaltigen und weitschweifigen Leidenschaften ständig beengen und benamsen – sie anpflocken, sie hinter einen Schutzschirm scheuchen.«[27] Die Diskussionen mit Ethel waren eine Variante der Überlegungen, die Virginia in *Die Wellen* über »vielgestaltige« und wandelbare Charaktere anstellte. Zwischen ihrer stillen Arbeit an dem Buch und dem »Reden, reden, reden«, das ringsherum stattfand, konnte es keinen Schutzschirm geben.

Auch wenn Virginia sich über die ständigen Unterbrechungen durch Besucher beklagte und ihre vor gesellschaftlichen Verpflichtungen berstenden Briefe kaum einen Hinweis darauf geben, dass sie überhaupt arbeitete, schaffte sie in Wahrheit enorm viel. Dem Bedürfnis nach einer phantasievollen Abschweifung im Stil von *Orlando* folgend, schrieb sie die Biographie des Spaniels Flush und nahm sich dabei ihren eigenen Spaniel Pinker zum Vorbild. Auch dies war wieder ein Tribut an ihre Liebesbeziehung zu Vita, nicht zuletzt, weil Pinker ein Nachkomme von Vitas Hund Pippin war und weil große Teile ihres Liebeswerbens auf das Verhalten der Hunde Bezug genommen hatten, als Code für die eigenen Verführungsversuche. Wieder versuchte Virginia, halb lachend, halb ernst, die Grenzen der literarischen Lebensbeschreibung zu

erweitern, machte sich für einen vielsagenden Perspektiv-
wechsel stark und schaute aus einem sehr bodennahen Blick-
winkel zu Elizabeth Barrett Browning auf.

Dann, direkt nach den *Wellen*, stellte sie einen zweiten Band
des *Gewöhnlichen Lesers* zusammen, für den sie sechsund-
zwanzig ihrer neueren Essays »aufpolierte«. Bei der Durchsicht der literaturkritischen Aufsätze, die sie seit dem ersten
Band 1926 veröffentlicht hatte, stellte Virginia fest, dass über
hundert zur Auswahl standen. Ihre Sachtexte frustrierten sie
häufig: Sie hatte das Gefühl, sich nicht ausreichend von den
Konventionen des Rezensierens freigemacht zu haben, und
fragte sich, welche Form wohl geschmeidig genug sein könnte, um damit Leseerfahrungen auszudrücken. Nichtsdesto-
trotz gehört sie zu den besten Rezensenten des englischen
Sprachraums.

Virginia Woolf ließ ihre Essays gern wie Gespräche mit
dem Leser klingen, und in einigen Fällen inszenierte sie tatsächlich einen Dialog, wie zum Beispiel 1933 in »Walter Sickert:
Ein Gespräch«. Sie wollte den Lesern nicht vorschreiben, was
sie von einem Buch zu halten hatten, und durch diese Form
fühlte sie sich von der Pflicht zur Selbstbehauptung befreit,
die ihr zuwider war. Stattdessen wollte sie Stimmungen wie-
dergeben und ergründen, was in Erinnerung bleibt, nachdem
man das Buch beiseite gelegt hat. Nehmen wir zum Beispiel
ihren langen Essay über Thomas Hardy, der anlässlich seines
Todes 1928 erschien und dann für den zweiten *Gewöhnlichen
Leser* überarbeitet wurde. Virginia Woolf hört »das Geräusch
eines Wasserfalls« durch einen seiner frühen Romane dröhnen, sie sieht den »seherischen Augenblick«, der in »lange[n]
Strecke[n] nüchternen Tageslichts« verebbt.[28] In jedem von
Hardys Büchern, so schreibt sie, »treten drei oder vier Gestalten besonders hervor und ragen empor wie Blitzableiter, um

die Macht der Elemente auf sich zu ziehen.«[29] Ihre nie versiegenden Vergleiche übersetzen abstrakte Eindrücke in Bilder von faszinierender Klarheit.

Virginia Woolfs Essays eröffnen Gespräche. Doch einer der Menschen, mit dem sie am liebsten über Bücher sprach, war nicht mehr in der Lage, ihr zu antworten. In Ham Spray House lag Lytton Strachey im Sterben. Virginia hatte ihm den ersten Band des *Gewöhnlichen Lesers* gewidmet, und während der Arbeit am zweiten Band trauerte sie um ihn. Seine Abwesenheit beeinflusste auch ihre Reaktionen auf Ethels permanente Anwesenheit. Manchmal wünschte sie sich einfach nur, dass Ethel den Mund hielt. Sie wollte sich lieber mit besinnlicher Stille umgeben als mit dem schillernden Gerede, für das Bloomsbury inzwischen bekannt war. »Alle, die ich am meisten verehre, schweigen gern«, schrieb sie kurz nach Weihnachten 1931 etwas spitz an Ethel.[30]

Über Jahre hinweg waren ihre glücklichsten Momente auch die stillsten gewesen: »Ich schätze es, an einem heißen Freitagabend nach Rodmell zu fahren, kalten Schinken zu essen und dann auf meiner Terrasse zu sitzen und mit der einen oder anderen Eule eine Zigarre zu rauchen.«[31] Im heißen Sommer 1930 hatte sie sich tief in ihr Landleben vergraben, »träge wie ein Alligator, von dem nur noch die Nasenlöcher aus dem Wasser schauen.«[32] Sie verstärkte ihren Panzer wieder und verkroch sich darin. Um ihre Ruhe und Eigenständigkeit zu bewahren, lehnte sie auch zahlreiche Angebote für Artikel und Vorträge ab. Sie war berühmt, wollte aber nicht in der Öffentlichkeit stehen. Gleich mehrere Bücher waren über sie in Arbeit, aber sie zeigte sich den Verfassern gegenüber wenig hilfsbereit und manchmal sogar offen feindselig und erklärte, ihre Romane müssten für sich sprechen. Auf dem Boden der National Gallery entstand ein Mosaik, das Virginia Woolf als Teil eines Pantheons der Moderne zeigen sollte (und bis heute dort zu sehen ist). Sie erhob keinen Einspruch, doch manch anderer hätte sich gewiss mehr darüber gefreut. Sie wollte gelesen werden, sie wollte genügend Geld haben, und sie wollte die Freiheit, zu schreiben, was sie wollte. Das war entscheidend; den ganzen übrigen Tinnef, den der Ruhm mit sich brachte, lehnte sie ab.

Allem Prunk und Zeremoniell gegenüber war Virginia Woolf zutiefst misstrauisch. Früher hatte es ihr vor George Duckworths Partys in Abendgarderobe gegraut, heute distanzierte sie sich von den offiziellen Ehrungen, die sie als Auswuchs der gleichen bürgerlichen Selbstbeweihräucherung betrachtete. Sie lehnte die Ehrendoktorwürde der Universität Manchester ab. Sie schrieb einen langen Brief an die Zeitschrift *New Statesman*, in dem sie den Wunsch äußerte, in Ruhe gelassen zu werden, und die Gründung einer »Gesellschaft zum Schutz der Privatsphäre« anregte.[33] Das war eine starke Aussage, hinter der jedoch zahlreiche Widersprüche steckten. Indem sie ihre Privatsphäre einfordert, äußert sich Virginia Woolf öffentlich, engagiert sich für etwas und gründet – wenn auch nur parodistisch – eine neue Gesellschaft. Diese Gratwanderung zwischen Öffentlichem und Privatem stand im Zentrum des neuen Romans, an dem sie mit großer Ausführlichkeit und in zwanghafter Eile arbeitete. Als sie 1932 die Einladung erhielt, in Cambridge die renommierten Clark-Vorlesungen zu halten, wie ihr Vater es 1888 getan hatte, zögerte sie kurz. Aber nein, entschied sie dann, sie würde keine Clark-Vorlesungen am Trinity College halten, wo man sie seinerzeit so respektlos behandelt hatte. Das, worüber sie jetzt reden wollte, war mit Sicherheit nicht das, was die Professoren dort hören wollten.

DIE ARGUMENTE DER KUNST: 1932–1938

Virginia Woolf schrieb die erste Fassung von *The Pargiters* voller Aufregung. Der Roman sollte später *Die Jahre (The Years)* heißen, und im September 1934 hatte sie einen ersten Entwurf beendet. Er war gewaltig, neunhundert Seiten und etwa zweihunderttausend Wörter lang. Virginia wusste, dies würde eine »Menge Umschreiben« bedeuten. Trotzdem war sie zufrieden.

Es war ein hochgradig ehrgeiziges Buch: »Ich möchte das Ganze der heutigen Gesellschaft darstellen«, notierte sie, »nichts weniger: Fakten, aber auch die Vision. Und beides kombinieren. Ich meine: The Waves fließen gleichzeitig mit Night & Day.«[1] Sie wollte also alles zusammenführen, was sie bisher geschrieben hatte, und zog die visionären Qualitäten, die sie in *Die Wellen* entwickelt hatte, heran, um dem Realismus ihrer früheren Romane Bedeutung zu verleihen. Sie blickte auf ihr Leben als Schriftstellerin und auch auf ihr Familienleben zurück. Dieser Roman führte sie wieder in die dunklen Zimmer von Kensington, die hier zum Zuhause der Familie Pargiter in der Abercorn Terrace werden. Oben im Krankenzimmer liegt eine Mutter im Sterben; die Töchter warten ungeduldig darauf, dass das Wasser kocht. Dann macht der Roman einen Sprung ins 20. Jahrhundert: Die Töchter zerstreuen sich über ganz London, sie wollen das alte Haus verkaufen, sie richten sich in ihrem jeweiligen Leben ein und stehen vor Entscheidungen zu ihrem häuslichen Dasein, ihrer Arbeit, ihren

Freunden, der Politik. Virginia wollte die Handlung bis in ihre Gegenwart führen und »Millionen Ideen« darin versammeln: »eine Zusammenfassung von allem, was ich weiß, fühle, verspotte, verachte, mag, bewundere, hasse.«[2]

Sie griff die Tradition des historischen Romans auf und stellte sie auf den Kopf. Ihre Zeitgenossen John Galsworthy und Hugh Walpole veröffentlichten langatmige Familienepen, *Die Forsyte-Saga* und die Herries-Romane, die hohe Auflagen erreichten. Auch Virginia Woolf hätte eine solche Historie verfassen können: Allein Hyde Park Gate bot Material genug für mehrere Bände. Stattdessen entschloss sie sich, das Genre auf den Prüfstand zu stellen, und schrieb eine Reihe von Auszügen, die sich als Teile einer zusammenhängenden Familiengeschichte ausgaben. Anstatt ein Jahr nach dem anderen im Zeitraffer abzuhandeln, griff sie Momente heraus – aus den Jahren 1880, 1891, 1907 usw. – und ging ihnen auf den Grund, präsentierte einen Querschnitt des Lebens und fing die Atmosphäre kurz und bündig, »haargenau in ihrem Zentrum« ein.[3]

Anfangs verband sie diese Episoden noch mit einer Rahmenerzählung, in der eine Autorin einen Vortrag über weibliche Lebensentwürfe hält und dabei Auszüge aus ihrem Roman als Beispiele heranzieht. Als Parodie auf die Verfasser der weitschweifigen Epen beginnt die Autorin allen Ernstes mit einem Auszug aus Band fünf. Das war ein hübscher Scherz mit einem Körnchen Wahrheit darin. Die Idee des Vortrags mit »Romanauszügen« erlaubte Virginia Woolf, Fakten und Fiktion, Analyse und Kreativität, die Stimme der Kritikerin und die Stimme der Autorin zusammenzubringen – und das alles im selben Buch. Es war eine höchst überzeugende Idee, doch dann entschied sie sich anders. Sie befürchtete, man könnte Fiktion und Vortrag verwechseln, und sie wollte schließlich keine Propaganda schreiben. Trotzdem gab es Dinge, die sie zu sagen hatte, und vor allem stellte sie sich die Frage, wie es möglich wäre, »intellektuelle Diskussionen als Kunstform« zu gestalten.[4]

Letztendlich löste Virginia Woolf den »Roman« aus dem »Essay« heraus. Die Argumentationslinie des Vortrags ging nicht verloren – und sollte, um einiges eindringlicher und verstörender, als *Drei Guineen* wieder auftauchen –, aber für den Moment blieben ihr nur die Szenen einer Familiengeschichte. Dummerweise drohten diese länger zu werden als die Epen, die sie parodieren wollte. Virginia suchte Hilfe bei den Russen, den Meistern des langen Romans. Sie wog Dostojewskis allumfassenden Ansatz gegen Turgenjews minimalistischen ab. Bei der Lektüre von Turgenjew beobachtete sie, wie er vor denselben Problemen stand wie sie und, ebenfalls wie sie, Wege fand, die sachlichen Elemente des alltäglichen Lebens mit »der Vision« zu kombinieren.[5] Wenn sie sich dann wieder ihrem eigenen Manuskript zuwandte, kürzte und kürzte sie, aber der Roman wuchs trotzdem immer weiter. Sie belud ihn mit Einzelheiten von der Art, wie sie seit Jahren ihr Tagebuch füllten: mit Zeitungsschlagzeilen und dem Straßenbild der Bayswater Road, mit dem Gurren der Tauben (»Ruckedi gu, ruckedi gu«) und den unwillkürlichen kleinen Lügen, die man tagtäglich erzählt. Sie fing Ton und Textur der Gegenstände, Gebäude, Sessel, Mäntel, Schuhe, der Umgebung und der Requisiten des jeweiligen Zeitalters ganz genau ein. *Die Jahre* wird nicht oft mit dem Spaß und der Verspieltheit von *Orlando* verglichen, aber Virginia Woolf stellte von Anfang an eine Verbindung zwischen den beiden Büchern her: »Tatsächlich ist The Pargiters ein Cousin ersten Grades von Orlando«, sinnierte sie in ihrem Tagebuch: »Orlando [hat] mich den Trick gelehrt.«[6] Sie spürte denselben Schwung und dieselbe Dramatik wie bei *Orlando* und wollte »mit den kraftvollsten &

agilsten Sprüngen wie eine Gemse über die Abgründe hin-
übersetzen, von 1880 bis hier & jetzt«. Und während sie durch
die erste Fassung stürmte, war sie vor lauter Begeisterung wie
im »Rausch«.[7]

Nachdem man ihr jahrelang soziale Engstirnigkeit vorgeworfen hatte, beschrieb sie jetzt billige Herbergen und karita-
tive Arbeit, den ungewaschenen Mann aus Wandsworth und
den berüchtigten Juden, der einen Schmutzring in der Bade-
wanne hinterlässt.[8] Mit erfrischender, manchmal sogar ab-
stoßender Ehrlichkeit, die ihre Kritiker nicht beschwichtigen,
sondern vielmehr aufstacheln sollte, zeigt sie Vorurteile und
Snobismus als Teil des Gewebes, aus dem das Leben besteht.
Und zum ersten Mal gibt sie mit der treuen Crosby auch einer
Hausangestellten durchgängig eine Stimme. Virginia Woolfs
Verhältnis zum Personal hätte selbst als Stoff für ein umfas-
sendes Epos herhalten können, das seinen schmerzlichen Höhepunkt 1934 erreichte, als sie ihrem Hausmädchen Nelly
endgültig kündigte und einen neuen Alltagsrhythmus mit ex-
ternen Haushaltshilfen einführte.[9] Die ambivalenten Gefühle
gegenüber Nelly färben das Portrait, das sie von Crosby zeichnet. Als Eleanor in *Die Jahre* Crosby entlässt und deren Zimmer ausräumt, erkennt sie erschrocken und schuldbewusst,
wie schäbig die Dienstbotenzimmer im Kellergeschoss sind.
Es war ein schwieriger Stoff, doch Virginia Woolf war entschlossen, ihn anzugehen.

Nie hatte sie »ein Buch mehr aufgeregt als das«,[10] doch gerade als sie sich dem Ende der ersten Version näherte, traf sie
ein schwerer Schlag. Am 7. September 1934 stürzte Roger Fry,
zwei Tage später starb er. Virginia hatte das Gefühl, als hätte
ihre Welt alle »Substanz« verloren.[11] Frys Ästhetik hatte ihr
Schreiben tief und nachhaltig beeinflusst, und seine Freundschaft war ihr ein Tonikum. Er strahlte immer große Energie

aus und sprach voller Leidenschaft über Kunst. In den traurigen Monaten nach Lyttons Tod hatten die Woolfs großen Trost darin gefunden, mit Roger und seiner Schwester durch Griechenland zu reisen, beflügelt von Rogers Gabe, immer das Beste aus dem Leben zu machen. Mit seinem Tod verstummte eine weitere Stimme. »Ach, was haben wir geredet, geredet – ganze 20 Jahre lang«, schrieb Virginia betrübt an Ethel.[12]

Sie war tief bewegt von Frys Beisetzung und dem Zusammenhalt derer, die sich zu seinem Gedenken versammelt hatten. Es war genau das Gefühl der Verbundenheit, das sie nach Percivals Tod in *Die Wellen* beschrieben hatte. Obwohl sie die schwülstigen viktorianischen Trauerrituale ablehnte, die ihr schon als Kind so unaufrichtig vorgekommen waren, hatte sie doch immer das Bedürfnis, ein Ende auch zu begehen und die letzten Ehren zu erweisen. Lytton Strachey hatte gegen alle Konventionen verstoßen und eine öffentliche Beisetzung abgelehnt, was in Virginias Augen nichts als ein Gefühl stummer Vergeblichkeit hinterließ. Roger Frys Beisetzung, bei der es nur Musik gab, war da schon die bessere Antwort auf die Frage, die Virginia sich immer wieder stellte: Wie war es in religionsfernen Zeiten möglich, einschneidenden Momenten Bedeutung zu verleihen?

Roger Fry war fort, Anfang des Jahres 1935 starb mit Francis Birrell ein weiterer Freund, und Virginia Woolf fühlte sich von Geistern umringt. Man fing bereits an, das Ende von Bloomsbury auszurufen. Und teilweise existierte es ja tatsächlich nicht mehr. Im Januar fand eine ausgelassene Party im alten Stil statt, bei der *Freshwater* aufgeführt wurde, die Nonsens-Komödie über die viktorianischen Vorfahren, die Virginia Anfang der Zwanzigerjahre verfasst hatte und für den Anlass überarbeitete. Vanessa war als Julia Margaret Cameron zu sehen, Adrian spielte Tennyson und stolzierte rezitierend umher. Alle lachten, doch es war ihnen nur zu bewusst, dass manche Freunde fehlten. Durch Zufall kam mitten in der Probe jemand vorbei, um ein Bild von Roger Fry zurückzubringen. Traurig und verstört schrieb Virginia in ihr Tagebuch: »Rogers Geist klopfte an die Tür.«[13] Manchmal kam es ihr vor, als lebte sie selbst schon ihren Nachruhm. Studenten schrieben Doktorarbeiten über sie, Stephen Tomlin schuf eine Skulptur von ihrem Kopf und fertigte einen Bronzeguss davon an. Sie musste sich immer wieder in Erinnerung rufen, dass sie noch ganz am Anfang stand. Regelmäßig schwor sie in ihrem Tagebuch, sie werde »weiterhin Wagnisse eingehen, mich verändern, meinen Geist & meine Augen offenhalten, mich weigern, abgestempelt & stereotypisiert zu werden.«[14]

Dennoch war sie entschlossen, ihre Vergangenheit zu ehren und zu verteidigen. Schon seit Jahren überlegte sie, wie es möglich sein könnte, Portraits ihrer Freunde zu schaffen, und nun wurde sie zur Biographin von Bloomsbury ernannt. Die Familie Strachey hatte sich bereits gewünscht, Virginia Woolf möge über Lytton schreiben, sich aber aus irgendeinem Grund nicht recht getraut, danach zu fragen. Roger Frys Angehörige äußerten die Bitte sehr viel freimütiger, übergaben ihr seine Briefe, baten sie um ihre Meinung und legten fest, worüber geschrieben und was lieber verschwiegen werden sollte. Und so tauchte 1935, als Virginia gerade mit der Überarbeitung der *Pargiters* anfing, bereits ein neues Buch am Horizont auf. Die umfassenden Vorbereitungen der Biographin, das Lesen, Sammeln und Gesprächeführen, liefen quasi im Hintergrund ab, während sie an ihrem Roman schrieb. Beide Projekte konfrontierten sie mit den gleichen Fragen. Wie verhält sich das öffentliche Leben zum privaten? Wie viel darf erzählt werden? Durfte sie beispielsweise darüber schreiben, dass Fry einmal eine Affäre mit Vanessa gehabt hatte? Frys Familie sagte nein,

»Wie Rogers Geist uns verfolgte!« Roger Fry hatte zu Virginias engsten
Freunden gehört, und sein Kunstverständnis beeinflusste ihr Schreiben enorm.

anders als Vanessa, die auf der Wahrheit beharrte. Virginia spürte wieder die alte Frustration, weil so viel vertuscht und unter den Teppich gekehrt wurde. Diese Form der Verdrängung schrieb sie auch ihrem Roman ein, dessen Figuren immer wieder ansetzen, etwas zu äußern, und dann auf halbem Weg ins Stocken geraten.

In Windeseile absolvierte sie das erste »wilde neue Tippen«[15] ihres Romans und machte sich dann um einiges langsamer an die zweite Überarbeitung. Sie ließ sich Zeit und genoss es; jeden Morgen tippte sie ihre Änderungen ab und packte ihre Nachmittage randvoll mit Menschen und neuen Projekten. Um dem Gefühl, dass sie alt wurden und die Freunde ihnen wegstarben, zu begegnen, waren Virginia und Leonard äußerst aktiv. Sie unternahmen lange Ausflüge mit ihrem neuen Wagen, es gab neue Freunde, beispielsweise Elizabeth Bowen, und auch die eigenartigen, einnehmenden Sitwells wuchsen Virginia zusehends ans Herz. Das Verhältnis zu T. S. Eliot war herzlicher geworden. Mit ihrem Bruder Adrian wurde sie nie richtig warm, aber sie genoss es, seinen Töchtern Ann und Judith, die inzwischen herangewachsen waren und voller Zuversicht ihr Studium aufnahmen, eine Tante zu sein. Die Qualitäten des Pinseläffchens Mitzi, Leonards neuem Haustier, waren da schon deutlich fragwürdiger, doch nachdem es in kränklichem Zustand aus dem Nachlass der Rothschilds zu den Woolfs gekommen war, fügte das Tierchen sich rasch in die gesellschaftlichen Gepflogenheiten des Bloomsbury-Kreises und war immer mit von der Partie.

Am 15. Oktober 1935 listete Virginia Woolf in ihrem Tagebuch auf, was sie alles erledigt hatte, seit sie zehn Tage zuvor aus Monk's House zurückgekehrt war. Wir bekommen einen stichwortartigen Querschnitt einer typischen Arbeitswoche:

Gesehen: Janie, Walter, Joan Easdale, Nessa. Clive. Helen. Duncan. War im Richmond Park (sah Schlange beim Serpentine). Konzert. Sah Morgan & Bob & Eth Williamson. Wurde gebeten, bei einem Lunch Rede zu halten. Alle frühen Briefe von R. gelesen. Notizen gemacht, außerdem Bücher aus der Bibliothek: und Keats: und MSS.

Man braucht die Abkürzungen eigentlich gar nicht zu vervollständigen, um die Vielfalt und Geschäftigkeit zu spüren. Janie Bussy und François Walter waren gekommen, um über die Gründung einer antifaschistischen Gruppe zu reden. Virginia ordnete ihr Material für die Fry-Biographie und sichtete wie immer Manuskripte, um mögliche neue Titel für die Hogarth Press zu finden. Das alles tat sie, während sie mit *Die Jahre* »voranpreschte«, und sie wertete diese Phase als Zeit »ruhiger erfüllter vollkommener Glückseligkeit«.[16] Virginia Woolf war glücklich, weil es mit dem Roman gut voranging. Im Dezember schrieb sie die letzte Zeile der zweiten Fassung. »Jedenfalls ist das hauptsächliche Gefühl diesem Buch gegenüber Vitalität, Fruchtbarkeit, Energie«, fasste sie in ihrem Tagebuch zusammen. »Nie habe ich es mehr genossen, ein Buch zu schreiben.«[17]

Die Katastrophe begann, kurz nachdem sie diese letzte Zeile geschrieben hatte. Kopfschmerzen setzten ein, und die Bilder, mit denen sie den Roman beschreibt, wechseln vom Vitalen zum Krankhaften. Ihn endlich los zu sein, das wäre, als würde »ein Muskelbündel [...] aus meinem Hirn herausgeschnitten.«[18] Es war ihr zuwider, ihn noch einmal durchzulesen, und sie quälte sich verzweifelt durch die Druckfahnen. Im Mai zwang Leonard sie, eine Urlaubspause einzulegen, und fuhr mit ihr nach Cornwall, wie er das schon früher in Krisenzeiten oft gemacht hatte. Diesmal rettete die rituelle Pilgerfahrt sie jedoch nicht vor dem Zusammenbruch, und es

Edith Sitwell bei Tonaufnahmen für eine Dichterlesung im März 1927. Virginia
Woolf und Edith Sitwell standen sich nie besonders nahe, bewunderten einander aber aus der Ferne.

wurde der schlimmste seit 1913. Virginia verlor rasch an Gewicht und konnte nicht mehr schlafen. Beim Sommeraufenthalt in Monk's House versuchte sie, sich jeweils eine halbe Stunde am Stück mit ihren Korrekturfahnen zu befassen – ein anklagender, ungelesener Stapel von sechshundert Seiten –, aber selbst das fiel ihr ungeheuer schwer. Es ist durchaus möglich, dass die Menopause den Zusammenbruch noch verschlimmerte; zumindest brachte sie körperliche Beschwerden mit sich, die Virginia sehr schwächten. Schon seit langem hatte sie befürchtet, es könnte eine gefährliche Zeit werden, und das bestätigte sich. Allerdings war auch der Abschluss eines Romans immer eine gefährliche Zeit für sie, und so wirkte sich beides auf ihre Gesundheit aus. Immerhin unternahm sie wieder kurze Spaziergänge, ruhte sich aus und aß disziplinierter.

Im Herbst konnte sie sich langsam wieder mit den Fahnen beschäftigen und blieb auch dabei. Grimmig entschlossen, arbeitete sie sich bis zum Schluss durch, trug den ganzen Stapel dann zu Leonard und fühlte sich dabei wie eine Katze, die eine tote Maus ins Haus schleppt. Sie bat ihn, alles zu verbrennen, und wollte die verschwendeten Druckkosten aus ihren Ersparnissen begleichen. Leonard überredete sie zu warten, bis er das Buch gelesen habe. Der Druck, der auf ihm lastete, war enorm: Alles hing von seinem Urteil ab. Während er las, ließ Virginia ihn nicht aus den Augen. Schließlich, am 5. November, legte er das Buch tränenüberströmt beiseite und erklärte, es sei bemerkenswert. Für Virginia grenzte das an ein Wunder: Es war »ein göttlicher Augenblick der Erleichterung«.[19] Nachdem die Katastrophe somit abgewendet war, fuhren sie gemeinsam nach Lewes, um sich dort das große Feuerwerk aus Anlass der Guy Fawkes Night anzusehen. *Die Jahre* würde doch noch veröffentlicht werden. Virginia nahm sich vor, sich nicht um die Rezensionen zu kümmern. Egal, was die Kritiker schreiben würden, sie hatte das Buch beendet und überlebt. Diese Leistung erkannte sie auch in ihrem Tagebuch an: »Mein Kompliment geht nämlich an diese schrecklich deprimierte Frau, mich, die so oft Kopfschmerzen hatte: die so vollständig überzeugt war, versagt zu haben; denn trotz allem hat sie es glaube ich geschafft.«[20]

Heute sind die Besprechungen zu *Die Jahre* meistenteils recht nüchtern: Es ist das Buch, das Virginia Woolf an den Rand des Selbstmords geführt hat, es steht in engem Zusammenhang mit der politischen Lage Mitte der Dreißigerjahre und mit seinem erbitterten, nicht-fiktionalen Gegenstück *Drei Guineen*, und seine formale Gestaltung hat sehr viel mehr mit Zerstörung und Entfremdung zu tun als mit visionärer Einheit. Die Kritiken streichen das Scheitern und das Leiden der Figuren ebenso heraus wie das Scheitern und das Leiden ihrer Autorin. Sie konstatieren einen völligen Gegensatz zu *Die Wellen:* eine Wendung von der Innen- zur Außenwelt und vom Lyrischen zu einem komplexen Realismus. Von allen Romanen Virginia Woolfs ist *Die Jahre* derjenige, der am wenigsten gelesen wird und am seltensten auf dem Lehrplan steht; seine Leserschaft ist klein und dünn gesät.

Zu Virginia Woolfs Lebzeiten allerdings war es das Buch, das sich am besten verkaufte, und das einzige, das es auf die amerikanische Bestsellerliste schaffte. Virginia hatte sich ausdrücklich vorgenommen, ein allgemeines Lesepublikum zu erreichen, als eine Art Wiedergutmachung für das Verrätselte in *Die Wellen* – und weil der »gewöhnliche Leser« ihr letzten Endes doch am Herzen lag. Wir sollten auch nicht vergessen, welche »Vitalität« und »Fruchtbarkeit« den Roman aus ihrer Sicht kennzeichneten. Dass sie sich realen Fakten zuwandte, entsprang der unbändigen Freude, die diese in ihr auslösten, und dem Spaß daran, endlich einen Teil des gewaltigen Vorrats von alltäglichen Beobachtungen, den sie seit vierzig Jahren ansammelte, zu verwenden.

Stellenweise gesteht sie ihren Fakten eine ungeheure Schönheit zu und offenbart damit ihre ästhetische Freude am Alltäglichen. Das Buch hat etwas Schillerndes, eine Bedeutsamkeit, die wir nicht ganz erfassen können. Seine Figuren bemühen sich, ihre Visionen von einem »unterschiedlichen Leben«, »einer anderen Welt« zu äußern.[21] Die Suche nach einem allem zugrundeliegenden Muster setzt sich auch hier fort: »Wer macht es?«, fragt sich Eleanor. »Wer denkt es?«[22] Virginia Woolf wollte sowohl die Vergangenheit als auch die Zukunft greifbar machen und dachte sogar darüber nach, den Roman »Dawn« zu nennen, »Tagesanbruch«. Diese romantische Anwandlung erstickte sie zwar im Keim, doch der neue Tag, der am Schluss über London heraufdämmert, bringt eine unbestimmte, erhebende Hoffnung mit sich, als Eleanor ein junges Paar beobachtet, das an der Schwelle seiner Wohnung und seines gemeinsamen Lebens steht. Während der letzte Satz von *Die Wellen* einem Aufruf zum Kampf gegen den Tod gleichkommt, endet *Die Jahre* mit dem Himmel über der Großstadt, der immer heller wird und »Schönheit, Schlichtheit und Friedlichkeit« verheißt.[23]

Doch es ist auch ein düsteres Buch, das zu allen Zeiten die Leser verstört hat. Die Momente der Schönheit sind durchsetzt von Verunstaltung, Vorurteilen, Machtlosigkeit, Klaustrophobie. Häufig wird alles Lyrische bewusst gekappt, und zurück bleiben sperrige Lücken und Wiederholungen. Auf fast jeder Seite findet sich irgendein gescheiterter Kommunikationsversuch. Menschen verhören sich, missverstehen einander; Gedanken werden wie bei der Flüsterpost verbreitet und dabei bis zur Unkenntlichkeit verzerrt. Bei der abschlie-

Virginia Woolfs Neffe Julian Bell mit seinem Freund John Lehmann, der bei
der Hogarth Press arbeitete und 1938 Virginias Anteil daran kaufte.

ßenden Party betrachtet Eleanor die Leute, die sich ringsum unterhalten, und überlegt, wie oft man einander wohl richtig zuhört.

Der Roman handelt auch von dieser Zerstreutheit und Unaufmerksamkeit, die Virginia Woolf in den Dreißigerjahren überall bemerkte. Europa steuerte auf eine Krise zu, alle Welt redete darüber, aber was konnte man dagegen tun? Politik lenkte Virginia vom Schreiben ab, und ihr Schreiben lenkte sie von der Politik ab. Sie hatte mehrere Zeitungen abonniert und las sie zwanghaft von vorne bis hinten; sie machte sich ernsthafte Gedanken über ihren Pazifismus und diskutierte täglich mit Leonard, der sein Leben inzwischen ganz der Politik widmete. In einem Moment typischer Selbsterkenntnis merkte Virginia, dass sie, während sie mit Maynard Keynes 1934 über die Lage in Deutschland sprach, eigentlich die ganze Zeit mit den Gedanken bei ihrem Roman war. Als die Situation Mitte der Dreißigerjahre eskalierte, engagierte sie sich vermehrt in politischen Aktionsgruppen und fragte sich besorgt, ob sie nicht noch mehr tun konnte. Im Grunde aber war ihr Roman ihre politische Arbeit. Wie sie selbst im Krieg schrieb: »Denken ist mein Kämpfen.«[24]

Die Menschen in ihrer Umgebung waren mit dieser Haltung nicht einverstanden. Leonard hielt Pazifismus zunehmend für unrealistisch. Und die jungen Männer, die Virginia über ihren Neffen Julian und über John Lehmann, den Geschäftsführer der Hogarth Press, kennenlernte, hatten sich alle dem aktiven Kampf gegen den Faschismus verschrieben und rekrutierten auch die Literatur für dieses Anliegen: W. H. Auden, Stephen Spender und Christopher Isherwood betrachteten ihre Kunst als Dienst an der Politik. Sie respektierten Virginia Woolf als ihre große literarische Vorläuferin, waren aber nicht ihrer Meinung. Virginia reagierte darauf mit einer komplexen Mischung aus Nachsicht, Sorge und Distanziertheit. Sie fand, dass die Männer zu sehr von sich eingenommen waren und die eigene Bedeutung überschätzten. Stephen Spender etwa erzählte ihr, dass die Funktionäre der Kommunistischen Partei hofften, er werde eines tragischen Todes sterben und zu ihrem Lord Byron werden. Virginia Woolf befürchtete, dass sich allzu viele zu solchen Helden berufen fühlten.

Besonders prekär war ihre Beziehung zu Julian. Sie wollte ihm freundschaftlich nahestehen, weigerte sich aber, ihn literarisch zu fördern, und konnte auch kein lobendes Wort für seine Gedichte finden. Sicher, sie gefielen ihr nicht, aber sie hätte ja auch ein wenig schwindeln können. Stattdessen lehnte sie etwas zu beiläufig einen langen Essay über Roger Fry ab, mit dem Julian sich große Mühe gegeben hatte. Das wiederum belastete ihre Beziehung zu Vanessa. Keiner von ihnen wollte solche schwierigen Situationen – warum also gab Virginia immer wieder Anlass dazu?

Ein Grund war, dass sie sich in die Defensive gedrängt fühlte. Julians Aktionismus machte sie unruhig. Sie stilisierte sich selbstironisch zur weltfremden Dichterin, um dann plötzlich ihr politisches Engagement herauszukehren. Im Juni 1936 schickte sie Julian eine ebenso lustige wie bissige Beschreibung der Stimmung in Charleston und tat, als wollte sie sich mit ihm gegen Vanessas und Duncans passive Haltung verbünden: »Da sitzen sie, vor sich nur Rosa und Gelb, und wenn Europa in Flammen aufgeht, werden sie bloß die Augen zukneifen und sich über das grelle Licht im Vordergrund beklagen.«[25] War das scheinheilig? Saß sie nicht selber einfach so da? Doch, aber sie schrieb. Reichte das? Als Virginia das Bild drei Jahre später in *Zwischen den Akten* verwendete, hatte sich die Dynamik verschoben. Giles ist erbost über

Julian Bell und Roger Fry beim Schachspiel in Charleston, gemalt von Vanessa
Bell. Im Bloomsbury-Zirkel gab es liebevolle Auseinandersetzungen zwischen
den Generationen, manchmal aber auch Meinungsverschiedenheiten. Julian
sprach sich gegen den Pazifismus seiner Eltern und vieler ihrer Freunde
aus und forderte ein militärisches Einschreiten gegen den Faschismus der
Dreißigerjahre.

die Passivität seiner Verwandten, die nur dasitzen und die Aussicht genießen, aber es liegt auf der Hand, dass er selbst genauso machtlos ist. Er erreicht nichts mit seiner Wut, und womöglich tun die Dorfbewohner etwas sehr viel Sinnvolleres als er, indem sie friedlich und nach alter Tradition ihr Stück aufführen, solange das noch möglich ist.

Auch in ihrem letzten Roman nahm Virginia Woolf also noch die Gegenposition zu Julian ein, doch zu dem Zeitpunkt war er bereits tot. 1937 schloss er sich den Internationalen Brigaden gegen Franco an und fiel im Juli desselben Jahres. Vanessa war am Boden zerstört. Ihre Kinder waren der vorbehaltlose Mittelpunkt ihres Lebens, und sie sollte sich nie wieder ganz von diesem Verlust erholen. Virginia stand ihrer Schwester liebevoll bei und versuchte immer wieder zu begreifen, warum Julian überhaupt nach Spanien gegangen war. Ohne ihn wirkte die Zukunft »gestutzt: deformiert«.[26]

Mitten in der Trauer war Virginia dankbar für ihr Leben mit Leonard. Wegen gesundheitlicher Probleme musste er mehrere Spezialisten aufsuchen, und Virginia lief vor den Sprechzimmern auf und ab und befürchtete das Schlimmste. Als schließlich die Entwarnung kam, war sie vor Erleichterung ganz überwältigt, so wie nach der Krise, die auf *Die Jahre* gefolgt war. Beide hatten sie vor Gericht gestanden, beide waren sie begnadigt worden. Sie spazierten um den Tavistock Square und liebten sich wie vor fünfundzwanzig Jahren.[27] Virginia verspürte eine Vitalität, als wollte sie die Zeit wettmachen, die sie an die Krankheit und die lange, beschwerliche Arbeit am Roman verloren hatte.

Sie verwendete diese Energie darauf, den buchlangen Essay *Drei Guineen (Three Guineas)* zu verfassen. Darin nimmt sie die ökonomische und politische Rolle der Frau unter die Lupe und schlägt grundlegende strukturelle Änderungen in der

Organisation der Gesellschaft vor, mit denen sich der Faschismus wirkungsvoller bekämpfen ließe als mit Bomben. Es ist ein radikales und zugleich subtiles, ein scharfzüngiges und zugleich hintergründiges Werk. Und es ist genau deshalb so lang und verschachtelt, weil Virginia Woolf den knappen Aussagen der Propaganda misstraut. Ihrer Ansicht nach sind die Probleme der Gegenwart untrennbar mit den Verhaltensweisen verknüpft, die die bürgerlichen Schichten, Männer wie Frauen, seit mehr als hundert Jahren im Öffentlichen wie im Privaten an den Tag gelegt haben. *Drei Guineen* vertritt die These, Hitler sei nur die brachialste Manifestation einer Tyrannei, wie sie sämtlichen patriarchalischen Gesellschaftsformen zugrunde liegt.

Viele von Virginias Freunden sahen in *Drei Guineen* eine peinliche Verirrung. Dabei war es keineswegs ein plötzlicher Ausbruch. Virginia betrachtete den Essay als Fortsetzung von *Ein eigenes Zimmer,* weswegen er auch in die Zwanzigerjahre und noch weiter zurückreicht, bis zu den repressiven Strukturen von Hyde Park Gate. Seine Gestalt verdankte er dem nach wie vor andauernden Dialog mit Ethel Smyth. Virginia hatte sich die ganzen Dreißigerjahre hindurch darauf vorbereitet, hatte Zeitungsausschnitte, programmatische Schriften und Lebenserinnerungen gesammelt – ein gewaltiger Fundus an Beweisstücken, mit denen sie nun Anklage gegen die gegenwärtige Gesellschaft erhob. Über Jahre hinweg hatte sich der Druck der Argumente erhöht, und nun schossen sie hervor »wie ein veritabler Vulkan«.[28]

In ihrem konzeptuellen Rundumschlag holte Virginia Woolf aus gegen familiäre Beziehungen, Bildung, Rechtsprechung, die Kirche und den Staat. Wie schon in *Die Jahre* wies sie nach, dass der häusliche Bereich ein höchst politischer Raum ist, und sie folgte dieser Dynamik zur Haustür hinaus bis ins öffentliche Leben. Im Buch druckte sie eine Reihe von Photographien ab, die Männer in ihren Uniformen zeigen: einen Anwalt mit Perücke, eine Prozession von Universitätsprofessoren, einen Bischof mit Mitra. Vor Gericht oder an der Universität sind sie Repräsentanten unangefochtener Autorität, aber auf den Seiten des Buches wirken sie einfach nur lachhaft. Virginia Woolf lässt das Urteil über die Urteilenden fällen und befreit den Außenstehenden, der selbst keine Uniform besitzt, aus der beklemmenden Position stiller Ehrfurcht.

Wie ihre Romanfiguren, so tastete sich auch Virginia zu einer anderen Art des Umgangs mit den Dingen vor, die neue gesellschaftliche Verhältnisse und neue Stimmen erfordern würde. Sie ließ sich nicht endgültig definieren – aber man konnte immerhin einen Anfang machen. Nachdem sie ihr Plädoyer gehalten hatte, schloss Virginia Woolf das Buch erleichtert ab. Wenn man sie künftig nach ihrer Meinung fragte, konnte sie einfach auf *Drei Guineen* verweisen. Sie fühlte sich von einer Last befreit und konnte wieder ungehindert an anderes denken. Es war das gleiche Gefühl, das sie Peggy Pargiter am Ende von *Die Jahre* empfinden ließ:

Sie hatte es nicht gesagt, aber sie hatte versucht, es zu sagen. Jetzt konnte sie sich ausruhen; jetzt konnte sie sich im Schatten ihres Spotts, der keine Macht hatte, sie zu verletzen, wegdenken, weg aufs Land. Ihre Augen schlossen sich halb; sie hatte das Gefühl, auf einer Terrasse zu sein, am Abend; eine Eule flog auf und nieder, auf und nieder; ihr weißer Flügel hob sich vor dem Dunkel der Hecke ab; und sie hörte Landbewohner singen und das Rattern von Rädern auf einer Straße.[29]

10

SUSSEX: 1938–1941

Im Sommer 1938 ließen die Woolfs den Dachboden von Monk's House zu einem weiteren Zimmer ausbauen, mit einer Loggia, auf der sie abends noch lesen konnten. Der Sommer war heiß und friedlich, und Virginia vertiefte sich in die vierzehnbändige Ausgabe der Briefe Madame de Sévignés. Jeden Nachmittag unternahm sie lange Spaziergänge über die Downs, dann wurde zu Abend gegessen und auf dem Rasen Bowls gespielt, gefolgt von Musik auf dem Grammophon und weiterer Lektüre. Virginia dachte darüber nach, wie man im Alter ein freies, vielfältiges Leben führen konnte. Sie war sechsundfünfzig und machte Pläne für die nächsten zehn Jahre.

Aber wenn sie das Radio einschaltete, war plötzlich alles anders. Da waren die »gewaltigen Tiraden« und das »wilde Gebrüll« Adolf Hitlers zu hören.[1] Virginia dachte an den August 1914 zurück, aber diesmal konnte sie sich keinen Illusionen über einen ehrenvollen Krieg hingeben, der an Weihnachten vorüber sein würde. Diesmal hatte sie den Eindruck, als rutschten sie alle »mit vollem Bewusstsein in einen Abgrund«.[2] Wie immer hatte sie die alten Spannungen aus Hyde Park Gate als Maßstab für ihre Gefühle im Hinterkopf. Sie war wieder ein machtloses Kind, das hilflos mit dem Schlimmsten rechnete: »Was das Politische betrifft, so kommt es mir vor, als säßen wir alle im Erdgeschoss, während oben jemand im Sterben liegt.«[3] Der Herbst brachte mit dem Münchner Abkommen eine von zwiespältigen Gefühlen belastete Gnadenfrist. Das Wetter hielt bis in den Oktober hinein, aber jeder neue schöne Tag fühlte sich an, als müsste er der letzte sein.

Virginia Woolf steckte mitten in der Arbeit an *Roger Fry* und war dankbar dafür. Sie war froh, jeden Morgen statt über Hitler über Roger nachdenken zu können, und ihre Bewunderung für ihn wuchs, je weiter sie vorankam. Trotzdem war es harte Arbeit. Sie recherchierte und überarbeitete ungeheuer viel und kämpfte mit dem Problem, wie sie ein lebendiges Bild des Menschen Roger Fry zeichnen und gleichzeitig alle nötigen Fakten abdecken sollte. »Wie kann man die Höhenflüge des Geistes bewahren und trotzdem genau bleiben?«, fragte sie sich.[4] Es ist typisch für ihre Gewissenhaftigkeit, dass sie sich auch nach all der Lektüre noch nicht qualifiziert fühlte, sich zu Frys Bildern zu äußern. Deswegen bat sie auch Duncan Grant um eine »technische Expertise« zu Frys Malerei, die als Anhang abgedruckt werden sollte – letztendlich aber weder besonders technisch war noch irgendetwas enthielt, was Virginia nicht selbst hätte schreiben können. Ihre Bedenken hingen mit dem Verantwortungsgefühl zusammen, das sie denen gegenüber empfand, die Fry geliebt hatten, und mit der Erkenntnis, dass sie als Biographin seinen Nachruhm maßgeblich beeinflusste. Es war, wie sie nach dem Erscheinen des Buches notierte, als hätten sie beide »diese Vision von ihm zusammen geboren«,[5] nur dass es nicht mehr in seiner Macht stand, etwas daran zu ändern.

Bei der Schilderung seines Lebens und seiner Person hielt sie sich selbst absolut im Hintergrund; das ging so weit, dass sie sogar in der dritten Person von Virginia Woolf sprach. Schon seit langem arbeitete sie daran, in ihren erzählerischen Texten das Persönliche auszuklammern; diesen Ansatz formulierte sie auch in ihren Briefen an Ethel Smyth, und er war

»Vor mir erstreckt sich der Blick über die Wiesen bis nach Caburn.« Virginia
Woolf ist eine Meisterin der Ortsbeschreibung. Wenn sie in Monk's House
war, machte sie jeden Tag einen Spaziergang über das umliegende Marschland, die Felder und die Hügel.

gerade für die Biographie von Bedeutung. Virginia Woolf war für ihre experimentellen Lebensbeschreibungen bekannt: Sie war die Frau, die die Biographien Orlandos und Flushs verfasst hatte und deren zahllose Rezensionen anderer Biographien neue Formen der Charakterdarstellung propagierten. Doch jetzt, da sie eine Biographie über Roger schrieb, wollte sie, dass *seine* und nicht ihre Experimente im Zentrum der Aufmerksamkeit standen. Ihre eigene Rolle dabei betrachtete sie als rein handwerkliche, ähnlich der eines Schreiners. Sie stellte etwas her, und das wollte sie gut machen, selbst wenn sie sich in monatelanger »Schinderei« damit »abquälte« und es »furchtbar schwierig« fand.[6]

Roger Fry wird häufig für zu konventionell gehalten, um von allgemeinerem literarischen Interesse zu sein, und es ist tatsächlich nicht das innovativste aller Bücher. Dennoch setzt Virginia Woolf auch hier ein paar der wichtigsten Entdeckungen ihrer schriftstellerischen Praxis gewinnbringend ein. Sie ist die Autorin von *Jacobs Zimmer*, wenn sie das Gerümpel in Frys Atelier beschreibt und es uns überlässt zu erraten, was für ein Leben dort geführt wird. Sie ist die Autorin von *Zum Leuchtturm*, wenn sie die knappe Mitteilung von Helen Frys Tod in eine Fußnote verbannt und wiederholt die »verborgene Mitte« von Frys Leben und die »visionären Augenblicke« heraufbeschwört, in denen er seinen weiteren Weg erkennt.[7] Und obwohl sie ihre eigenen Gefühle unterdrückt, gibt es Passagen, in denen ihre Zuneigung durchscheint. Als Frys Frau in eine Nervenheilanstalt eingewiesen wird, entdeckt er beispielsweise, »wie er auch in Zukunft noch häufig feststellen sollte, dass Arbeit die einzige Möglichkeit ist, mit dem Scheitern privaten Glücks umzugehen.«[8] Und Virginia zitiert eine Bemerkung von ihm, die aus der beklemmenden Zeit des Ersten Weltkriegs stammt: »Ach, wie langweilig

so ein Krieg doch ist – die Art, wie Menschen einander um-
bringen, ist schrecklich eintönig, verglichen mit der Art, wie
sie leben.«[9]

Die erste Fassung beendete Virginia im März 1939 und
brachte dann einen weiteren heißen Sommer voller tagtäg-
licher Widersinnigkeiten mit dem Überarbeiten zu. Ihr un-
mittelbares Leben erschien ihr so viel realer und fesselnder
als Hitlers wahnwitziges, monotones Gebrüll im Radio. Sie
war nervös – so wie die meisten Menschen in diesem Sommer. Eine zusätzliche Belastung stellte der Umzug dar, denn
durch Bauarbeiten rund um den Tavistock Square war es in
der Wohnung unerträglich laut. Alles wurde zusammenge-
packt und in eine Wohnung am nahegelegenen Mecklenburgh Square verfrachtet, doch in London herrschte eine so
angespannte Atmosphäre, dass die Woolfs fast all ihre Habseligkeiten in den Umzugskisten ließen und nach Rodmell
fuhren. Ihre Erschöpfung machte sich in gereizten Wortwech-
seln Luft. Leonard wünschte sich ein Treibhaus, Virginia war
dagegen, und daraus entstand ein Streit, den sie im Grunde
beide nicht wollten.

Die Landschaft in Sussex erschien Virginia dafür friedlicher und schöner denn je. Im August, an dem Tag, von dem sie
glaubte, er würde der letzte Tag des Friedens sein, lag sie unter
einer Korngarbe und »betrachtete das leere Land & die blass-
rosa Wolken«.[10] Zum ersten Mal seit ihrer schweren Erkrankung 1913 blieben Leonard und sie auch den Herbst und Winter über in Sussex und kehrten nicht nach London zurück. Sie
fügten sich in den Rhythmus des Landlebens ein und nahmen
auch mehr Anteil am Leben im Dorf. Ständig – und immer
genau zum falschen Zeitpunkt – schauten Nachbarn auf ein
Schwätzchen vorbei, Virginia wurde zur Schatzmeisterin des
örtlichen Women's Institute gewählt und ließ sich breitschla-

gen, bei der Aufführung der Theatergruppe zu helfen. Es gab Erste-Hilfe-Kurse im Pfarrhaus, Leonard trat der Home Guard bei und spendete Kochtöpfe, die zu Flugzeugen verarbeitet werden sollten, ein Polizist tadelte sie, weil sie bei der Verdunkelung ihrer Fenster zu nachlässig waren, und im Dorfladen verschaffte man ihnen eine Extraration Tee. In der Kunst des Tratschens machte Rodmell Bloomsbury Konkurrenz. Man erzählte sich, im Bus habe eine Nonne das Geld für ihre Fahrkarte mit Männerhänden abgezählt.

Die Dorfbewohner gewöhnten sich an Mrs. Woolf und mochten sie, obwohl sie oft ungeduldig oder zerstreut war und hin und wieder sonderbar wirkte, wenn sie auf ihren langen Spaziergängen Selbstgespräche führte. Virginias eigene Gefühle der Dorfgemeinschaft gegenüber waren ambivalent. Manchmal äußerte sie erschreckend heftig das Gefühl, von Menschen ausgesaugt zu werden, die ihr nichts zurückgaben. Aber wenn sie abends über die Marsch nach Hause kam, fand sie es wunderbar, die vielen Lichter so dicht beieinander zu sehen, die ihr Zuflucht boten. Die Grundidee einer solchen Gemeinschaft sprach sie in tiefster Seele an, und sie wollte darüber schreiben.

Während der ganzen Zeit, die Virginia an der Biographie saß, dachte sie auch über einen Roman nach. Sie hatte schon häufig festgestellt, dass sie eigentlich immer mehrere Bücher in Arbeit haben musste, damit das eine Erholung und Abwechslung vom anderen bieten konnte (»Wechselwirtschaft betreiben«, wie sie das selbst einmal nannte[11]). Ihr neuer Roman »Pointz Hall« – sie änderte den Titel erst im letzten Moment zu *Zwischen den Akten (Between the Acts)* – handelt von einer Theateraufführung, die im Juni 1939 auf den Ländereien eines alten Hauses stattfinden soll. Die Geschichte umfasst einen einzigen Tag und korrespondiert darin mit

Mrs. Dalloway, auch wenn der so lebendig beschriebene Schauplatz diesmal nicht London, sondern das dörfliche Marschland ist. Inmitten der Stille hört man in der Ferne eine Kuh husten, und am Nachmittag sonnt sich ein Schmetterling genüsslich »auf einem sonnenbeschienenen gelben Teller«.[12] Die Stimmung ist ausgelassen. In der Scheune werden Papiergirlanden aufgehängt, und für Zuschauer und Schauspieler steht Tee bereit.

Virginia Woolf war sich auch angesichts der blühenden Landschaft von Sussex dessen bewusst, was sie selbst als »eine Art Knurren hinter dem Kuckuck & den anderen Vögeln; ein Hochofen hinter dem Himmel« bezeichnete.[13] Sie widmete sich den alltäglichen Angelegenheiten, dem Geld, dem Kochen, dem Schreiben, spürte aber doch immer diesen Ofen am Rand ihres Sichtfeldes. Er brennt auch hinter der friedlichen, zivilisierten Fassade von *Zwischen den Akten*. In den Unterhaltungsfetzen, die wir aufschnappen, während sich das Dorfpublikum für die Aufführung versammelt, mischen sich die Sorgen über eine neue Senkgrube mit einer womöglich drohenden Invasion. Leidenschaft und Gewalt dringen durch jede noch so kleine Lücke, aber kein Grundton darf über längere Zeit vorherrschen. Es ist durchaus komisch, als mitten in der Aufführung ein plötzlicher Regenschauer die Zuschauer durchnässt, aber dieser Moment enthält auch eine Vision unendlicher Trauer: »Herunter prasselte sie [die Wolke], als weinten alle Menschen auf der Welt. Tränen, Tränen, Tränen.«[14]

Zwischen den Akten besteht aus lauter derartigen Unterbrechungen: abgebrochenen Gesprächen, vergessenen Textzeilen. Die Leute flüstern während der Aufführung und scharren mit den Füßen. Immer wieder werden Szenen gestört und wieder von vorn begonnen. Die Gesamtwirkung ist die eines

The Hedge Hoppers, August 18th 1940 von Diana Gardner, einer Nachbarin der Woolfs in Rodmell. Virginia hielt die Szene in ihrem Tagebuch fest: »Gestern am Sonntag, dem 18., ein Donnern. Sie flogen direkt über uns. Ich sah das Flugzeug an, wie eine Elritze einen entsetzlichen Hai. Sie rasten über uns hinweg [...] Es sollen 5 Bomber gewesen sein, die dicht über dem Boden nach London flogen. So knapp entkommen sind wir noch nie.«

Kaleidoskops, bei dem sich die Glasstückchen zu immer neuen Mustern zusammensetzen. Stellenweise besitzt der Roman eine derartige Intensität, als würde sich vor unseren Augen noch einmal ein Leben – das Leben des ländlichen Englands – abspielen, bevor es zu Ende geht. An anderen Stellen ähnelt er den ungeschickten Abschweifungen eines Menschen, der im Sterben liegt und leise über das Wetter redet, während doch in jedem Wort das Gefühl des nahen Endes mitschwingt. Eine besonders unheilvolle Unterbrechung erfolgt, als der Pfarrer am Ende der Aufführung seine Ansprache hält. Er stockt, er lauscht: »Hörte er eine ferne Musik?« Schließlich fährt er fort, aber dann wird das Wort »Möglichkeit« entzweigerissen, noch während er es ausspricht, denn das, was er hört, ist keine Musik, sondern »zwölf Flugzeuge in tadelloser Formation«.[15] »Dann wurde das Surren zu einem Dröhnen«, die Flugzeuge entfernen sich, die Rede wird fortgesetzt, Sammelbüchsen werden unter den Zuschauern herumgereicht, und die Aufmerksamkeit wendet sich wieder etwas Neuem zu.

Im Juni 1939 waren die Flugzeuge noch auf Übungsflug, doch ein Jahr später, als Virginia Woolf ihr Buch in Monk's House überarbeitete, fand am Himmel über Sussex die Luftschlacht um England statt. Im Juli schrieb sie noch: »Wenn ich die Deutschen höre, mache ich das Fenster auf & auf der Wiese richten sich die breiten Lichtstiele auf & tasten nach ihnen.«[16] Und dann im August: »Wir legten uns flach auf den Bauch, die Hände hinter dem Kopf. Beiß die Zähne nicht zusammen, sagte L.« Die Bomben ließen die Scheiben ihres Schreibzimmers klirren. »Auf der Marsch wieherte ein Pferd. Sehr drückend. Donnert es? fragte ich. Nein, Geschütze, sagt L., aus der Richtung Ringmer und Charleston.«[17] Sie rief Vita an, auch rings um Sissinghurst Castle fielen die Bomben.

Im Herbst fuhr Virginia nach London, um dort nach dem Rechten zu sehen. Tavistock Square 52 war völlig zerstört; sie fand noch ein letztes Stückchen Mauer ihres Arbeitszimmers, »ansonsten Schutt, wo ich so viele Bücher geschrieben habe«.[18] Es lag eine merkwürdige Erleichterung darin, das alles zerstört zu sehen, so als wäre das Unvermeidliche endlich geschehen und ließe einen sauberen Schnitt zurück. Das Haus am Mecklenburgh Square war nur noch »Müll, Glas, schwarzer feiner Staub, abgebröckelter Putz«.[19]

Leonard und Virginia sprachen darüber, wie sie sterben wollten. Wenn die Invasion tatsächlich käme, würden sie schnell handeln müssen, denn ein jüdischer Intellektueller und seine schriftstellernde Frau hatten das Schlimmste von den Nazis zu befürchten. Ganz nüchtern vereinbarten sie, gemeinsam in die Garage zu gehen, das Tor zu verschließen und die Abgase des Wagens einzuatmen. Leonard legte extra für diesen Zweck einen Benzinvorrat an. Später gelang es Adrian, ihnen stattdessen eine tödliche Dosis Morphium zu besorgen. Vor diesem Hintergrund wirkten die Luftangriffe nicht übermäßig beängstigend. Eines Abends, als das Surren wieder verklang, sinnierte Virginia: »Wenn wir an diesem wunderschönen kühlen sonnigen Augustabend beim Bowlsspielen auf der Terrasse abgeknallt worden wären, wäre das ein friedlicher prosaischer Tod gewesen.«[20] »Prosaisch« wurde zu einem ihrer Lieblingswörter, obwohl die ständige Anspannung ihr durchaus zusetzte. Sie stellte fest, dass ihr die Hände zitterten. Sie las noch mehr parallel als sonst, weil ihre Stimmung ständig wechselte. Sie las in irgendein Buch hinein und legte es dann wieder beiseite. Es war die gleiche Unruhe, über die sie schrieb: In *Zwischen den Akten* sieht sich Isa aufgeregt in der Bibliothek um, wie jemand, der auf der Suche nach einem Mittel gegen Zahnschmerzen in der Apotheke steht. Und Virginia Woolf fragte sich: »Sollte ich [...] nicht Shakespeare lesen?«, um ihr Leben mit einem Höhepunkt zu beenden. Aber sie konnte sich nur schlecht konzentrieren.[21]

Auch beim Schreiben wechselte sie zwischen unterschiedlichen Vorhaben hin und her. Sie nahm Aufträge für Essays und Kurzgeschichten an, weil sie glaubte, Geld verdienen zu müssen, und auch, weil sie in dieser Zeit, in der Schreiben oft nutzlos erscheinen konnte, das Gefühl brauchte, gelesen zu werden. Gleichzeitig bereitete sie *Roger Fry* zur Veröffentlichung vor, überarbeitete *Zwischen den Akten* und saß an zwei neuen großen Projekten. Ihre Reaktion auf Krisen war dieselbe, die auch Fry an den Tag gelegt hatte: Arbeiten.

Kurz vor dem Krieg hatte sie sich erste Notizen für ihre Memoiren gemacht, nach ernsthaften Ermahnungen seitens Vanessa: Wenn sie jetzt nicht damit anfange, sei es irgendwann zu spät. An Material mangelte es nicht. Mit ihren Tagebüchern, die vierundzwanzig Bände umfassten, hatte Virginia die denkbar detailliertesten Aufzeichnungen eines Lebens. Sie hatte die Bücher sowie hunderte weiterer Notizen und Unterlagen 1939 in der Wohnung am Mecklenburgh Square zurückgelassen, und dort waren sie auch noch, als der Platz bombardiert wurde. Um ein Haar wären sie also verloren gegangen. Virginia konnte sie aus den Trümmern retten, kurz bevor das Haus ganz in sich zusammenfiel, und nahm sich fest vor, sie irgendwann einmal zu verwenden. Aber ihre Memoiren sollten mit der Kindheit einsetzen und bedurften daher anderer Quellen: der Briefe ihrer Eltern und ihrer eigenen sehr lebendigen Erinnerungen. Und so wandte sie sich wieder ihren ersten Jahren zu.

Das Schreiben über die Vergangenheit gab dem von Wirren erfüllten Leben der Jahre 1939 und 1940 eine solide Gestalt.

Es vermittelte Virginia ein Gefühl von Tiefe und Tragweite: Ganz bewusst wollte sie »die Vergangenheit dazu bringe[n], einen Schatten über diese aufgebrochene Oberfläche zu werfen.«[22] Sie konnte sich von den Trümmern ihres zerstörten Hauses abwenden und über die Sommer in St. Ives schreiben, oder sie konnte im Geiste durch die Zimmer von Hyde Park Gate streifen und jedes einzelne Möbelstück beschreiben. Und sie war sich völlig im Klaren darüber, dass sie sich selbst zu stützen versuchte, indem sie ihre Erinnerungen gerade in dieser Zeit aufschrieb. Die scheinbar beiläufigen Notizen zu »Skizze der Vergangenheit« – die sie einmal sogar versehentlich in den Papierkorb warf und dann wieder herausfischte – enthalten einige ihrer pointiertesten Kommentare über das eigene Schreiben. Hier schildert sie ihre »Schockempfänglichkeit« und ihre Ahnung, dass sich hinter der »Watte« ein Muster verbirgt.[23]

Sie fuhr fort, die lebendigen Szenen aufzuschreiben, die ihr nach all den Jahren immer noch deutlich vor Augen standen, und malte sich auch solche Szenen aus, die sie nicht miterlebt haben konnte: das Leben ihrer Eltern vor ihrer Geburt und die Gespräche, die die Erwachsenen führten, wenn sie im Kinderzimmer war. Wie schon in *Zum Leuchtturm* versuchte sie, ihre Eltern und ihre Geschwister sowohl als eigenständige Personen als auch aus der Kinderperspektive zu betrachten. Was trieb sie an? Was hielt die merkwürdige Maschinerie eines solchen viktorianischen Haushalts am Laufen? Virginia wusste, dass sie die Intensität der Erinnerungen an ihre Eltern teilweise »ausradiert« hatte, indem sie *Zum Leuchtturm* schrieb, aber verschwunden waren sie deshalb noch lange nicht.[24] Die Memoiren zogen weiter Kreise, kehrten aber immer wieder unweigerlich und unaufhaltsam zu Julias Tod zurück. Als Virginia ihr Augenmerk schließlich auf ihren

Vater richtete, stellte sie fest, dass sie immer noch wütend auf ihn war, sich immer noch den ganz körperlichen Zorn über sein Verhalten von der Seele schrieb. Sie verwendet eine raue Sprache, spricht von »Entsetzen«, »Tortur« und »Brutalität«.[25] Vanessa hasste ihn und lehnte ihn ab, doch Virginia war in dem sehr viel komplexeren und hartnäckigeren Zustand der »Ambivalenz« gefangen – das Wort hatte sie von Sigmund Freud entlehnt, dessen Werke sie jetzt erstmals las, obwohl sie mit seinen Ideen schon länger vertraut war. Ihr Zorn verstörte sie, denn sie empfand auch immer noch Liebe für ihren Vater, »diesen weltabgewandten, sehr distinguierten und einsamen Mann.«[26]

Es gab keinen äußeren Anlass, der Virginia Woolf im November 1940 dazu zwang, sich mit ihrer schmerzlichen Vergangenheit zu konfrontieren. Sie trieb sich selbst dazu, scheute zunächst davor zurück, stürzte sich dann aber doch hinein. Und damit saß sie fest und kam nicht mehr los davon. Sie verwendete die Bildsprache des physischen In-der-Falle-Sitzens. George Duckworth und seine gesellschaftlichen Ansprüche wurden in ihrer Vorstellung zu erbarmungslosen Foltermaschinen mit Fangzähnen.[27] Die Memoiren, die sie als »Ferien« von der übrigen Arbeit begonnen hatte, bereiteten ihr nun ebenfalls Beklemmungen. Gleichzeitig näherte sie sich dem Ende von »Pointz Hall« und damit der labilen Phase, die immer auf den Abschluss eines Romans folgte. Weil Virginia sich dieser Gefahr bewusst war und unbedingt an etwas anderes denken musste, wandte sie sich sofort dem nächsten Buch zu, das – so wie Miss La Trobes nächstes Stück am Ende von *Zwischen den Akten* – bereits »an die Oberfläche stieg«.[28]

Es sollte eine Literaturgeschichte werden, die ganz am Anfang beginnt, mit einem Mann, der im Wald dem Gesang der

Vögel lauscht. Virginia war aufgeregt und voller Ideen für dieses Buch. Wie »Pointz Hall«, mit dem es in engem Zusammenhang stand, war es zumindest teilweise als Bilanz gedacht: eine Feier der Literatur, »so wie ich sie in den letzten 20 Jahren gelesen & wahrgenommen habe.«[29] Und es war auch eine Feier der Orte, die ihr am meisten bedeuteten. Virginia Woolf wollte zeigen, wie die Landschaft Englands die Literatur veränderte und formte, die in ihr geschrieben und gelesen wurde. Sie wollte über Schriftsteller und ihre »Kulissen« nachdenken, über die Aussicht vor ihrem Fenster, die sich ihnen beim Schreiben bot.[30] Obgleich sie schon in »Pointz Hall« so viel über England gesagt hatte, wollte sie gar nicht aufhören, es schwärmerisch zu beschreiben. In ihrem Tagebuch sinniert sie darüber, wie »unglaublich schön« es sei: »Wie England einen tröstet & wärmt.«[31] Im neuen Buch beschwört Virginia die Landschaft der mittelalterlichen Dichter herauf, erdenkt einen namenlosen Menschen, der seine Verse über die Downs bringt, auf schlammigen Pfaden, von den Hütten bis zum Herrenhaus, um sie dort an der Hintertür zu singen. Sie beschreibt London zu einer Zeit, als jenseits von Bankside die Felder begannen. Sie malt sich die Schauspieler auf ihren Freiluftbühnen aus und die Zuschauer, die auf den billigen Plätzen jubeln. Diesem ersten Kapitel gab sie die Überschrift »Anon«, Anonymus, und brachte damit die Kultur des Mittelalters mit der Vorstellung von dem im Kollektiven aufgehenden Individuum in Verbindung. Den Schriftstellern dieser Zeit kam gar nicht der Gedanke, ihren Namen anzugeben.

Eine solche Form der Selbstlosigkeit war Virginia Woolf ausgesprochen wichtig. Schon in ihren frühesten Tagebucheintragungen kritisierte sie ihre Ichbezogenheit und versuchte, sie im Zaum zu halten.[32] Seit sie eine berühmte Schriftstellerin war, verweigerte sie Interviews und Photos. In ihren

Erinnerungen »Skizze der Vergangenheit« rekonstruiert sie mühsam die Standpunkte anderer, um ihren eigenen daran zu messen. Als Quelle dieser Haltung macht sie ihren Vater aus. Sie habe, so schreibt sie, aus seinem egozentrischen Verhalten zumindest eine Lektion gelernt: »dass man nichts so sehr fürchten muss wie Ichbezogenheit.«[33] Und so schrieb sie, während sie 1940 weiter mit ihm rang, das Wort »Anon« ganz oben auf die Seite. Auch im nächsten Kapitel lenkte sie den Fokus wieder weg von der Persönlichkeit des Autors und nannte es schlicht »The Reader«, »Der Leser«.

Sie wollte weitermachen mit diesem Buch, aber wenn sie schon sterben musste, schien ihr das der passende Moment, aufzuhören. »Bis ich bei Shakespeare bin, werden längst die Bomben fallen«, schrieb sie an Ethel. »Deshalb habe ich mir eine sehr schöne Schlussszene ausgedacht: Weil ich meine Gasmaske vergessen habe, werde ich, in die Shakespeare-Lektüre vertieft weit fort entfliehn, vergehn, vergessen da …«[34] Diese Zeile aus John Keats' »Ode an eine Nachtigall« war ihr bereits beim Verfassen von *Zwischen den Akten* nicht aus dem Kopf gegangen. Auf der Suche nach einem Zitat stellt Isa fest, dass ihr diese Vergessensphantasie als Erstes einfällt:

Weit fort entfliehn, vergehn, vergessen da,
Was niemals dich im Laubversteck gestört,
Die Mattigkeit, das Fieber und den Gram
Hier, wo der Mensch den Menschen ächzen hört.[35]

Trotz der Freude am Schreiben kämpfte Virginia Woolf im Januar 1941 gegen eine tiefe Verzweiflung an. In ihrem Tagebuch bekannte sie sich dazu, schwor aber auch, dass »dieses Verzweiflungstief« sie nicht »verschlingen« werde.[36] Sie empfing weiter Gäste, schrieb Briefe und korrigierte das Manuskript von *Zwischen den Akten*, und als Elizabeth Bowen übers Wochenende zu Besuch kam, wurde in Monk's House viel gelacht. Am 25. Februar schloss Virginia ihre Korrekturen ab und übergab den Roman an Leonard. Danach ging es mit ihrer Gesundheit rapide bergab. Um den Tag herumzubringen und nicht zu viel nachzudenken, stellte sie sich körperliche Aufgaben. Es tat ihr gut, in Bewegung zu bleiben, also schrubbte sie die Fußböden und ordnete mit großem Eifer Bücher neu. Durch die Unmengen an Papieren und anderen Habseligkeiten, die von London hergebracht worden waren, wirkte das Haus erdrückend voll. Virginia versuchte, Ordnung zu schaffen, doch für sich selbst fand sie keine Ruhe. Um sich abzulenken, forderte sie von der Hogarth Press Manuskripte an, die sie prüfen konnte, aber ihre Gedanken rasten nur immer weiter.

Am 18. März kehrte Virginia nass bis auf die Haut von einem Spaziergang zurück. Leonard traf sie so im Garten an und war zutiefst beunruhigt. Er versuchte, sie zu der absoluten Bettruhe zu überreden, auf die sie früher so oft vertraut hatten, doch es war schwer, sie zu etwas zu zwingen. In der folgenden Woche vereinbarte er einen kurzfristigen Termin mit Dr. Octavia Wilberforce in Brighton, die Virginia abgemagert, sehr unruhig und merkwürdig abwesend erlebte, wie eine Schlafwandlerin. Die Ärztin war besorgt, konnte aber auch nichts anderes als absolute Ruhe verordnen.

Am nächsten Morgen, dem 28. März, einem Freitag, setzte sich Virginia Woolf in ihr Gartenhaus und schrieb einen Brief an Leonard. »Du hast mir vollkommenes Glück geschenkt«, schrieb sie.

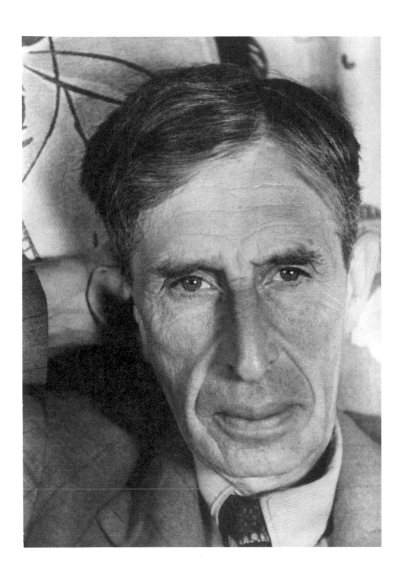

Leonard Woolf, aufgenommen von Gisèle Freund.

Aber ich weiß, dass ich dies nie überwinden kann: & ich vergeude Dein Leben. [...] Ich will nur eines sagen: Bis diese Krankheit über mich kam, waren wir vollkommen glücklich. Und das ist alles Dir zu verdanken. Niemand hätte so gut sein können wie Du es gewesen bist. Vom allerersten Tag an bis heute.[37]

Sie legte den Brief auf den Wohnzimmertisch, neben den an Vanessa, den sie bereits am Sonntag zuvor geschrieben hatte: »Ich habe dagegen angekämpft«, schrieb sie ihrer Schwester, »doch ich schaffe es nicht mehr länger.«[38] Sie hatte sich zu einem einsamen Tod entschlossen, über den sie weder mit Leonard noch mit Vanessa sprechen konnte. Das war nicht das gemeinsame Ende in der Garage, das sie zusammen mit Leonard geplant hatte, und auch nicht die »sehr schöne Schlussszene« des Weit-Fort-Entfliehens bei der Shakespeare-Lektüre. Aufgrund ihrer Krankheit und der daraus folgenden Pflegebedürftigkeit, mit der sie Leonard keinesfalls erneut belasten wollte, entschloss sich Virginia Woolf zu sterben. Sie zog ihre Gummistiefel und ihren Pelzmantel an, nahm ihren Spazierstock und ging durch den Garten bis zum Fluss. Den Spazierstock ließ sie am Ufer liegen und steckte sich einen schweren Stein in die Manteltasche. Dann ertränkte sie sich in der eiskalten, rasch dahinfließenden Strömung.

Sie blieb lange Zeit verschwunden. Erst drei Wochen später, als der Winter bereits dem Frühling gewichen war, fand man ihre Leiche. Ein paar Ausflügler, die gerade ein kleines Stück stromabwärts von Rodmell, an der Asham Wharf, beim mittäglichen Picknick saßen, bemerkten etwas im Fluss. In Monk's House trafen Beileidsbriefe vieler hundert Freunde und Bewunderer Virginias ein.[39] Leonard kümmerte sich um die unvermeidliche gerichtliche Untersuchung und organisierte die Einäscherung, der er als Einziger beiwohnte. Ihre

Asche begrub er im Garten von Monk's House, unter einer der beiden Ulmen, die sie »Leonard« und »Virginia« genannt hatten. Zusammen mit John Lehmann bereitete er das Manuskript von *Zwischen den Akten* zur Veröffentlichung vor, und im Juli erschien Virginia Woolfs letzter Roman.

Inzwischen ist das Buch als eines ihrer größten Werke anerkannt. Es ist auf rastlose, akrobatische Weise experimentell und zieht gleichzeitig seine Energie aus sämtlichen ganz traditionellen Aspekten des Lebens in England: dem Dorfklatsch, dem alten Herrenhaus, der Landschaft im Hintergrund, dem Klappern der Teetassen, den Knittelversen, den Liedern, den Gedichtzeilen und dem unberechenbaren Sommerwetter. Das Theaterstück, das Miss La Trobe auf die Bühne bringt, folgt derselben ambitionierten Dynamik: Es lehnt sich gegen alle Konventionen auf und macht dabei doch einen liebevollen, bewegenden und komischen Rundgang durch die englische Geschichte. Die ganze Zeit sorgt sich Miss La Trobe darum, wie das Stück wohl ankommen wird. Wird sie bei ihrem Publikum etwas auslösen? Welchen Sinn hat das alles? Das sind Fragen, die sich durch Virginia Woolfs gesamtes Werk ziehen: von Mr. Ramsay auf der Terrasse, der sich darüber erregt, dass sein Werk in Vergessenheit geraten wird, bis hin zu Rhoda aus *Die Wellen*, die weiß, dass sie etwas zu verschenken hat, sich aber immer wieder fragt: »Oh, wem?«; von Clarissa Dalloway, die über ihre Abendgesellschaft denkt: »Es war eine Opfergabe; zu einen, zu schaffen; aber für wen?«, bis hin zu Lily, die sich ihre Bilder zusammengerollt auf einem Dachboden vorstellt.[40]

Am Ende ihrer Aufführung verschwindet Miss La Trobe, sie will den Beifall nicht entgegennehmen. Sie möchte nicht zum Schluss im Mittelpunkt der Aufmerksamkeit stehen – lieber lenkt sie den Fokus zurück auf das Publikum. Die Zuschauer aus *Zwischen den Akten* sind irritiert, weil sie sich nicht bei der Autorin bedanken können; beklommen stehen sie auf, sehen einander an und versuchen, sich darüber klar zu werden, was sie gerade gesehen haben.

Virginia Woolf am Tavistock Square, im Juni 1939 aufgenommen von Gisèle
Freund. Am Tag der Aufnahmen führte Virginia potentielle Mieter durch das
Haus, besuchte Leonards Mutter, traf Verabredungen mit T. S. Eliot und May
Sarton und zerbrach sich den Kopf über das Kapitel zum Post-Impressionis-
mus in ihrer Biographie über Roger Fry. Sie hatte nicht die geringste Lust,
stillzusitzen und sich photographieren zu lassen.

DANACH

Auf der Rückseite ihres letzten Briefes an Leonard, kurz bevor sie zum Sterben aus dem Haus ging, gab Virginia ihm noch einige praktische Hinweise: Bestimmte Briefe von Roger würde Leonard vielleicht brauchen, sie lägen in ihrer Schreibtischschublade. Und schließlich bat sie noch: »Bitte vernichte alle meine Papiere.«[1] Ein verständlicher Wunsch, angesichts der Selbstentblößung in den Tagebüchern, der unvorsichtigen Miniaturen von Bekannten, der unvollendeten Memoiren und all der Kladden und Notizbücher, in denen sie ihre Gedanken Augenblick für Augenblick festhielt. Auch Thomas Hardy und Henry James hatten solche literarischen Verbrennungsaktionen erbeten.

Alles, was nach Virginias Woolfs Tod über sie geschrieben wurde, beruht darauf, dass Leonard Woolf ihre Papiere keineswegs vernichtet hat, sondern sich stattdessen für den Rest seines Lebens dem Projekt widmete, alles zu edieren und in wohlkalkulierten Abständen zu veröffentlichen. Es war seine Art, ihr Andenken lebendig zu halten. Während der Fünfziger- und Sechzigerjahre sorgte er dafür, dass die Erinnerung an Virginia alle paar Jahre durch ein neues Buch in den Köpfen der Leser aufgefrischt wurde. Essaysammlungen wurden veröffentlicht und 1954 auch eine Auswahl von Einträgen aus ihren Tagebüchern. Verständlicherweise war Leonard der Ansicht, dass die Öffentlichkeit sich mehr für Virginias Arbeit als für andere Bereiche ihres Lebens zu interessieren habe,

193

Vanessa Bells Umschlagbild für *A Writer's Diary:* »Wie hätte ich mein Tagebuch wohl gerne?«, fragte sich Virginia im April 1919. »Als etwas, das locker
geknüpft ist & doch nicht schlampig, elastisch genug, dass es sich allem, dem
Ernsten, Leichten oder Schönen, das mir in den Sinn kommt, anpassen könnte.«

deshalb stehen in seiner Auswahl ihre Überlegungen zum Schreibprozess im Vordergrund, und er nannte das Buch *A Writer's Diary*, Tagebuch einer Schriftstellerin. Es ist das Tagebuch einer Frau, die ganz für ihre Arbeit lebt, die sich ihres geistigen Zustands nur allzu bewusst ist und deren tägliches Leben aus Kämpfen mit der Form und Triumphen über die Sprache besteht. Nie zuvor war ein Schriftstellerleben so anschaulich und intim erzählt worden. Die Stimme kam einem sehr nahe und wirkte ebenso einschüchternd wie vertraut. Ja, wir saßen mit in diesem einsamen Schreibzimmer, und das war Virginia Woolf.

Dann, später, betrat eine andere Virginia Woolf die Bühne, eine, die wild lachen konnte und eine ganze Schar von Freunden um sich hatte. Zwischen 1977 und 1984 erschienen die vollständigen Tagebücher in fünf Bänden, herausgegeben von Quentin Bells Frau, Anne Olivier Bell. Jetzt mischte sich das Schriftstellerleben mit dem Gesellschaftlichen, dem Familienleben, mit Scherzen, Urlauben, Erledigungen, kleinen Sorgen, politischen Aktionen. Es gab so ungeheuer viel davon: Jedes Mittagessen, jede Einkaufsfahrt schien hier verzeichnet zu sein, jede Gefühlsschwankung in all ihren Abstufungen, endlose Widersprüche und sehr viel mehr Erfahrung, als in einem einzelnen Menschenleben – und dann auch noch einem so kurzen – möglich scheint. Wer die Tagebücher liest, wird sich des Eindrucks nicht entziehen können, dass dies die eigentliche Virginia Woolf ist.

Doch gleichzeitig mit den Tagebüchern kamen (so wie es Virginia über Orlando erzählt hat) noch zahllose weitere Ichs zum Vorschein. Mitte der Siebzigerjahre verbrachten Nigel Nicolson und seine Assistentin Joanne Trautmann jeden Sommer im sogenannten »Virginia-Zimmer« auf Sissinghurst Castle und sichteten Tausende ihrer Briefe. 1980 lagen dann

John Lehmann und Leonard Woolf bei der Durchsicht von Manuskripten für die Hogarth Press, 1944. Auf dem Stapel links der Lampe liegt ein Exemplar von *Zwischen den Akten*, das im Juli 1941 posthum bei der Hogarth Press erschienen war.

sechs Bände mit Korrespondenz vor, die man neben die wachsende Tagebuchausgabe ins Regal stellen konnte. Sie zeigen Virginia als eine der großen Briefschreiberinnen der Literaturgeschichte und offenbaren das Wesen ihrer Beziehung zu bestimmten Freunden. Dazu tragen auch die Briefe ihrer Korrespondenzpartner bei, sofern sie wie die von Lytton Strachey und Vita Sackville-West erhalten sind.[2]

Der Eindruck von Vollständigkeit ist ein verführerischer, aber auch gefährlicher Aspekt für Virginia Woolfs Leser. Viele Kommentatoren, die glaubten, im Besitz aller nötigen Beweise zu sein, waren zu verwegen in ihrem Urteil über sehr persönliche Fragen. Behutsamere Leser füllen die Lücken gedanklich, wo keine Briefe mehr erhalten sind oder mehrere Wochen ohne einen Tagebucheintrag vergehen. Virginias Korrespondenz mit ihrem Bruder Adrian fehlt uns beispielsweise, und E. M. Forster und Roger Fry, zwei ihrer engsten Freunde, spielten in ihrem Leben sicherlich eine sehr viel größere Rolle, als die seltenen Briefe nahelegen. Wenn man mit jemandem lebt, braucht man ihm nicht zu schreiben, wir haben also keinen Anteil an den vielen alltäglichen Gesprächen in Monk's House oder am Tavistock Square, und das wird auch immer so bleiben. Egal, was noch aus den Tiefen der Archive und Schreibtischschubladen auftauchen wird – wie etwa 2002 das frühe Tagebuch[3] –, es wird doch nie ein vollständiges Bild von Virginia Woolf geben.

Ihre Biographen sind sich sehr bewusst, dass sie nur eine Interpretation liefern können und keine abschließende Beurteilung. Der erste war ihr Neffe Quentin Bell, der von Leonard persönlich aufgefordert wurde, eine autorisierte Biographie zu schreiben. Das war dreißig Jahre nach Virginia Woolfs Tod, woraus ersichtlich wird, wie wichtig es Leonard war, die richtige Person und den richtigen Zeitpunkt zu wählen. Bells zweibändige Lebensbeschreibung, die 1972 erschien, ist auch heute noch eine Meisterleistung des einfühlsamen Urteilens. Häufig zeichnen sich Biographien von Familienangehörigen nicht eben durch Objektivität aus, doch diese hat sich Aufrichtigkeit auf die Fahne geschrieben und setzt sich ganz offen mit Virginias Krankheit, mit der Frage des Missbrauchs, mit der Ehe, mit Vita und dem Selbstmord auseinander. In Bells chronologischer Erzählung wird auch das Muster des Wechsels zwischen Krise und Genesung sichtbar. In fast jedem Kapitel gibt es einen Todesfall in der Familie oder eine Krankheitsphase, aber die düstere Stimmung hält nie an. Wie ein Stehaufmännchen lässt Virginia jedes Unglück hinter sich und steckt voller neuer Einfälle, um das Leben wieder neu zu beginnen.

Manche Aspekte ließ Bell ganz bewusst beiseite. Er wollte sich nicht zum Literaturkritiker stilisieren, deshalb blieb die fein verwobene Beziehung zwischen Leben und Werk späteren Interpreten überlassen. Problematischer ist allerdings, dass er Virginia Woolf nicht als politische Denkerin sieht und *Drei Guineen* als Fehltritt abtut, den man am besten gar nicht weiter beachtet. Damit tritt in Bells Darstellung das Bild der verrückten Tante stärker in den Vordergrund: Oft erscheint sie »komisch« im Vergleich mit dem praktisch veranlagten, bodenständigen Leonard. Und was im Alltag komisch wirkt, ist untrennbar mit ihrer Ästhetik verknüpft. »Ihr Talent«, schreibt Bell, »war die Beschwörung von Schatten, das geisterhafte Flüstern der Gedanken und das pythische Raunen.«[4] Indem er sie zur Priesterin der Empfindsamkeit macht, offenbart er auch, wo aus seiner Sicht ihre Grenzen liegen.

Der erbittertste Widerstand gegen diese Sichtweise kam vom akademischen Feminismus in den USA. Jane Marcus machte *Drei Guineen* und *Die Jahre* zu den zentralen Texten ihrer großangelegten Kampagne: Sie wollte Virginia Woolf als zornige, politisch sehr bewusste Frau darstellen, die gegen das Patriarchat anschrieb, das sie gefangenhielt.[5] Angeregt von Jane Marcus machte sich eine weitere Literaturwissenschaftlerin, Louise DeSalvo, an den Nachweis, dass jeder einzelne Aspekt in Virginia Woolfs Leben und Schreiben von der Erfahrung des Missbrauchs durch die männlichen Bewohner von Hyde Park Gate geprägt sei.[6] DeSalvos Buch verkaufte sich in den USA zahllose Male und gewann enormen Einfluss, doch es enttäuschte und frustrierte auch viele Leser. Obgleich sie es mit einer der größten Denkerinnen des Jahrhunderts zu tun hat, wählt Louise DeSalvo eine psychoanalytische Herangehensweise, die dem Wirken des Unbewussten den Vorrang einräumt. Sie erklärt Virginia Woolf so verbissen zum Opfer und zur Leidenden, dass sie das bereits bestehende Bild ihrer Labilität nur noch verstärkt und dadurch auch noch die Romane zu Produkten eines geschädigten Geistes degradiert.

Politisiert, für den Feminismus vereinnahmt, romantisiert, sexualisiert, verurteilt und rehabilitiert: Virginia Woolf wurde posthum zur Gallionsfigur der unterschiedlichsten Anliegen. Als Signal- und Symbolfigur besaß sie große Macht, selbst für diejenigen, die gar nicht wussten, was sie eigentlich geschrieben hatte. *Wer hat Angst vor Virginia Woolf?*, fragt der Titel von Edward Albees Theaterstück aus dem Jahr 1962 und nutzt ihren Namen als Chiffre für »komplizierte« Hochkultur. War es wirklich das, wofür die Verfasserin des *Gewöhnlichen Lesers* stand? Die Diskussionen konzentrierten sich auf die elitären und feministischen Aspekte. Durfte man als Frau wirklich eine Heldin für sich beanspruchen, die sich immer geweigert hatte, sich als Feministin zu bezeichnen? Als in den Siebzigern die weibliche Sexualität ein Thema für die Medien wurde, wurden auch Virginia Woolfs Beziehungen unter die Lupe genommen. Lyndall Gordon setzte einen Kontrapunkt zu Jane Marcus, indem sie in ihrer geschmeidigen und ideenreichen Biographie von 1984 die Ehe der Woolfs sehr viel wohlwollender betrachtete, löste aber gleichzeitig eine neue Kontroverse aus, weil sie die Beziehung zu Vita Sackville-West herunterspielte.[7] Wo blieb da die lesbische Ikone? Ende des 20. Jahrhunderts wurde Virginia Woolfs Leben zum Kriegsschauplatz.[8]

Umso merkwürdiger also, dass sie oft so dargestellt wird, als wäre sie zu jeder Auseinandersetzung völlig unfähig gewesen. Ins öffentliche Gedächtnis hatte sich vor allem das Portrait von George Charles Beresford aus dem Jahr 1902 eingebrannt, das sie als melancholische, stille, in weiße Spitze gekleidete Schönheit zeigt: Es wurde auf Poster gedruckt und in Karikaturen aufs Korn genommen.[9] Die Vorstellung von Virginia Woolf als feinfühliger Ästhetin entstand schon früh in ihrem Leben und hielt sich hartnäckig. Als sie Katherine Mansfield in einer Rezension als »ungeheuer empfindsamen Geist« bezeichnete, setzte sie sich teilweise mit ihrer Konkurrentin gleich, weil sie wusste, dass man auch sie in diese Schublade einordnen würde. Nach ihrem Tod deuteten einige Berichterstatter an, sie sei zu empfindlich gewesen, um den Krieg zu ertragen.

Es ist bezeichnend, dass E. M. Forster in seinem Nachruf auf Virginia 1941 vor allem diesem Image entgegenwirken wollte. Er wies unter anderem darauf hin, wie großartig sie Essen beschreiben konnte. Wenn das Bœuf en Daube hereingebracht wird, so Forster, »spähen [wir] an den Seiten der großen Kasserolle hinunter und bekommen eins der besten Stücke«.[10] Forster entwirft das Bild einer Schriftstellerin, die hungrig, körperlich und sinnlich war. In den Siebzigerjahren

Virginia Woolf, aufgenommen von Gisèle Freund im Juni 1939.

erinnert sich Elizabeth Bowen an Virginias große Lebensfreude: »Deshalb berührt es mich auch sehr sonderbar, wenn
manche Leute sie ausschließlich als Märtyrerin sehen … oder
als einen absolut tragischen Menschen, in den Fängen der
Düsternis.«[11]

Als Hermione Lee 1991 mit der Arbeit an einer neuen au-
torisierten Biographie begann, wollte sie die Vorstellungen
von Virginia Woolf als verrücktem Genie und dem Untergang
geweihtem Opfer frühkindlichen Missbrauchs konterkarie-
ren. Sie interessierte sich für die professionelle Frau, die ihre
Leistungen einem außergewöhnlichen Eigenantrieb und un-
ermüdlicher Arbeit verdankte. Sie interessierte sich für das,
was Virginia Woolf ganz bewusst unternommen hatte, um
ihre Krankheitsphasen zu überwinden und ihr Leben und Erleben selbst zu steuern. Als Lees Biographie 1996 erschien,
präsentierte sie eine Frau voller Entschlossenheit und Selbsterkenntnis, von subtiler Erotik, politischem Weitblick, Energie, Vernunft und einem funkelnden Witz. Im Leben wie im
Schreiben war sie selbstbewusst und subversiv. Sie war Mit-
Geschäftsführerin eines erfolgreichen Verlags und Partnerin
in einer langen, liebevollen Ehe. Ihre physische Präsenz und
die ganz stoffliche Beschaffenheit ihrer Welt werden greifbar,
von den beengten Zimmern in Hyde Park Gate bis hin zu den
Treffen des Women's Institute in Rodmell. Lees Beschreibung
des Generalstreiks floss in ihre Lektüre des Mittelteils von
Zum Leuchtturm ein, als nachdrückliche Erinnerung daran,
dass Virginias Beschäftigung mit der Außenwelt selbst noch
die scheinbar entrücktesten Teile ihres Werkes formte. Auch
ihre weniger sympathischen Seiten hat Lee nicht versteckt: Ja,
sie war ein Snob, und sie neigte instinktiv zum Antisemitis-
mus; außerdem konnte sie ausgesprochen gehässig und ei-
fersüchtig sein. Aber sie besaß auch den Mut, diese Eigen-

schaften zu erkennen und sich damit auseinanderzusetzen. Sie wusste um ihre eigenen Beschränkungen und Ängste (vor Selbstsucht, Wahnsinn, Entblößung) und machte sie zu den großen Themen ihrer Romane. Eine von Hermione Lees Vorlesungen Ende der Neunzigerjahre trug den Titel »Virginia Woolf und die Angst«, doch sie endete mit der Versicherung, dass Virginia Woolf einen Mut besaß, der auch neue Generationen von Lesern noch beflügeln kann.

Es überrascht kaum, dass Hermione Lee sich öffentlich fragte, warum die Virginia Woolf in Stephen Daldrys Film *The Hours* von 2002, gespielt von Nicole Kidman, mit der berühmten Nasenprothese, so betont humorlos und weltfremd präsentiert wird.[12] Aber der Film als Ganzes ist – wie auch der Roman von Michael Cunningham, auf dem er basiert – eine mutige Neubearbeitung von *Mrs. Dalloway* und steht Virginia Woolfs Original in seiner Schärfe in nichts nach. *The Hours* ist eine Geschichte, in der es um das Nach-Leben geht. Sie zeigt mehrere Menschen, die *Mrs. Dalloway* gelesen haben und deren Leben, jedes auf seine Weise, die Erfahrungsmuster aus Virginia Woolfs Roman spiegeln. Eine junge Ehefrau, gefangen in einem makellosen Einfamilienhaus einer amerikanischen Vorstadt der Fünfzigerjahre, hält für ihren kleinen Sohn die lächelnde Fassade aufrecht, während sie gleichzeitig darüber nachdenkt, Selbstmord zu begehen; eine mondäne, lesbische Verlegerin im heutigen New York gibt eine Party für einen Autor, der an AIDS stirbt und dessen Schicksal mit dem ihren ähnlich stark verknüpft ist wie die Schicksale von Clarissa und Septimus. Es leuchtet ein, dass Cunningham für sein Buch den Arbeitstitel gewählt hat, den Virginia Woolf beim Schreiben von *Mrs. Dalloway* verwendete: Es ist, als würde sich ihr Werk dadurch erneut öffnen, als wäre es immer noch im Entstehen.

Das Gefühl des andauernden Prozesses war auch für die Regisseurin Katie Mitchell entscheidend, als sie 2006 ein Theaterstück auf Grundlage der *Wellen* inszenierte.[13] »Stück« ist vielleicht nicht ganz die richtige Bezeichnung, so wie das Wort »Roman« für Virginia Woolfs teilweise gattungsübergreifende Bücher im Grunde irreführend ist. Katie Mitchell setzte vielmehr eine Reihe von Momenten in Szene, die aus dem Dunkel aufscheinen, während die Schauspieler diese kleinen, von Scheinwerfern erhellten Szenen filmen, die sie immer wieder auf- und abbauen: ein Gesicht im Spiegel, ein Wasserbecken, das plötzlich wie das Meer aussieht, Brötchen auf einem Tisch, feierlich zurechtgelegt zum letzten Abendmahl. Es waren kleine Kunstwerke, die an die Stillleben eines Chardin oder die Interieurs eines Hammershøi erinnern. Die Bilder wurden auf eine Leinwand über der Bühne projiziert und blieben damit losgelöst von dem Durcheinander aus Requisiten und Kameras darunter. Sie wirkten wie Virginia Woolfs »Augenblicke des Daseins«, die sich einer nach dem anderen herauskristallisierten.

So wie Katie Mitchells weißes Scheinwerferlicht den Details unerwartete Konturen verlieh, machen heutige Kritiker immer neue Facetten von Virginia Woolfs Leben sichtbar – ganz im Sinne ihrer Vorstellung vom Vorgehen eines Biographen, »in abgelegenen Winkeln Spiegel auf[zu]hängen«.[14] In den letzten paar Jahren wurde ein Buch über ihre Dienstboten veröffentlicht sowie eine Biographie über Leonard Woolf, die uns seine Perspektive auf Virginia vermittelt.[15] Und 2011 erschien Olivia Laings poetischer Bericht einer Reise entlang der Ouse, der die Geschichte der Woolfs mit der Geschichte der Gegend verwebt, die sie so liebten.[16] Der letzte Band der herausragend kommentierten gesammelten Essays[17] erschien 2011 in Großbritannien und offenbart Ausmaß und Umfang von Virginia Woolfs kritischem Werk in bisher unbekannter Form. Auch ihre Romane verändern sich. Unsere heutigen Prioritäten lehren uns, sie anders zu lesen, so dass plötzlich Bilder zutage treten, die vorher nie aufgefallen sind. Und doch erregt Virginia Woolf immer noch Misstrauen. Ausdrücke wie »kompliziert«, »elitär«, »verrückt« und »weltfremd« umgeben sie nach wie vor. East Sussex ist nicht als »Woolf Country« bekannt, so wie Warwickshire für Shakespeare und Dorset für Thomas Hardy steht. Es gibt keinen Virginia-Woolf-Themenpark nach dem Vorbild der »Dickens World« in Kent. Ihre Romane dienen eher als Inspiration für Experimentalfilme denn als Vorlage für das sonntagabendliche Kostümdrama.

Vielleicht wird sich das ändern, da sie inzwischen häufiger als Schullektüre oder zum Vergnügen gelesen wird. Und trotzdem sollten wir uns nicht allzu gemütlich mit ihr einrichten. »Ich bin der Hase, weit voraus im Feld vor der Meute, meinen Kritikern«, schrieb Virginia zu der Zeit, als sie versuchte, sich nicht um die Meinungen anderer zu *Die Wellen* zu kümmern.[18] Es ist ein brutales Bild, das uns ins Gedächtnis ruft, als wie brutal sie Kritik empfand. Aber es ist auch das Bild einer Schriftstellerin, die zuversichtlich und wendig davonspringt, den Jägern entwischt, davonkommt. Wir sind Virginia Woolf immer noch auf den Fersen, aber wir brauchen dabei nicht wie Jagdhunde zu sein. Siebzig Jahre nach ihrem Tod ist sie uns immer noch weit voraus im Feld und lockt uns immer weiter. So wie die Nymphe Daphne in Ovids *Metamorphosen* ändert auch Virginia Woolf immer wieder ihre Gestalt, um am Leben zu bleiben.

Virginia Woolf beim Lesen, Juni 1926

Vorwort

1 VW an Violet Dickinson,
7. Juli 1907. Alle Zitate aus VWs
Briefen wurden neu übersetzt
(Anm. d. Übers.).

2 VW an Vanessa Bell
[8.? Juni 1911].

3 Ebd.

4 »Moderne Romankunst«, in:
Der gewöhnliche Leser, Bd. 1,
S. 182.

5 *Tagebücher*, Bd. 3, 23. Februar 1926.

6 Die Bibliographie in dieser Ausgabe verzichtet auf eine Auflistung nicht in deutscher Sprache
erschienener Publikationen
(Anm. d. Lekt.).

7 Anstelle des Index enthält die
vorliegende Ausgabe ein
Personen- und Werkregister
(Anm. d. Lekt.).

1

Viktorianer: 1882–1895

1 »Old Bloomsbury«, in: *Augenblicke des Daseins*, S. 70.

2 Ebd., S. 71.

3 »Hyde Park Gate 22«, in: *Augenblicke des Daseins*, S. 49.

4 Wie es nach VWs Erinnerung
einmal von Kitty Lushington,
einer Freundin der Familie,
erwartet wurde. »Hyde Park
Gate 22«, S. 50 f.

5 *Zwischen den Akten*, S. 70:
»Gerade als sie starkes Gefühl
zusammengebraut hatte,
vertröpfelte sie es auch schon.«

6 *Die Wellen*, S. 8.

7 »Skizze der Vergangenheit«, in:
Augenblicke des Daseins, S. 147.

8 Später schrieb VW die Einlei-
tung zu einer Sammlung
von Camerons Photographien:
*Victorian Photographs of
Famous Men and Fair Women*,
1926, nachgedruckt: London:
Chatto & Windus, 1996; Edward
Burne-Jones, *Die Verkündigung*
(1876–1879), Liverpool: Lady
Lever Art Gallery.

9 »Skizze der Vergangenheit«
(wie Anm. 7), S. 149.

10 Ebd., S. 186.

11 *Hyde Park Gate News*, hg. von Gill
Lowe, London: Hesperus, 2003.

12 Diane F. Gillespie berichtet in
ihrem Buch *The Sisters' Arts: The
Writing and Painting of Virginia
Woolf and Vanessa Bell*
(Syracuse, NY: Syracuse Univer-
sity Press, 1988) spannend

über diese sich so früh einstellende Gewissheit und über die Beziehungen, die sich zwischen dem Werk der Schwestern entwickelten.

13 *Jacobs Zimmer*, S. 59.
14 Leslie Stephen an Mrs. Clifford, 25. Juli 1884, in: Frederic William Maitland, *The Life and Letters of Leslie Stephen*, London: Duckworth, 1906, S. 384; zitiert nach Hermione Lee, *Virginia Woolf*, S. 51.
15 »Skizze der Vergangenheit« (wie Anm. 7), S. 124.
16 *Jacobs Zimmer*, S. 10.
17 *Die Wellen*, S. 14.
18 »Skizze der Vergangenheit« (wie Anm. 7), S. 212.
19 *Zum Leuchtturm*, S. 136.
20 »Skizze der Vergangenheit« (wie Anm. 7), S. 161.
21 *Die Jahre*, S. 46f.
22 »Skizze der Vergangenheit« (wie Anm. 7), S. 161.
23 Ebd., S. 165.

2

Überleben: 1896–1904

1 Unveröffentlichte Aufzeichnung für »Skizze der Vergangenheit«, zitiert in Hermione Lee, *Virginia Woolf*, S. 240.
2 Ebd.
3 Jede im Nachhinein gestellte Diagnose muss mit großer Vorsicht behandelt werden. Zur manisch-depressiven Erkrankung siehe: Thomas C. Caramagno, *The Flight of the Mind: Virginia Woolf's Art and Manic Depressive Illness*, Berkeley: University of California Press, 1992. Hermione Lee legt die Fakten von VWs medizinischer Geschichte umfassend dar und wägt alternative Interpretationen gegeneinander ab (S. 236–269). Sie kommt zu dem Schluss, dass wir die Ursache von VWs psychischer Erkrankung nicht mit Sicherheit benennen können: »Wir können nur ansehen, was die Krankheit mit ihr tat und was sie mit der Krankheit tat« (S. 267).
4 Teestuben der Brotbäckerei Aerated Bread Company, die in den 1860er Jahren als Erste auf die Idee verfiel, Selbstbedienungscafés zu eröffnen, die auch Frauen ohne männliche Begleitung aufsuchen konnten. (Anm. d. Übers.)
5 Tagebuch von 1897, in: *A Passionate Apprentice: The Early Journals of Virginia Woolf*, hg. von Mitchell A. Leaska, London: Hogarth Press, 1990, S. 26.
6 Ebd., S. 90.
7 Ebd., S. 114.
8 Ebd., S. 134.
9 Ebd., S. 132.
10 *Tagebücher*, Bd. 5, 15. Februar 1937.
11 *Tagebücher*, Bd. 4, 1. Mai 1934.
12 »Skizze der Vergangenheit«, in: *Augenblicke des Daseins*, S. 130.
13 In *Virginia Woolf: Die Auswirkungen sexuellen Mißbrauchs auf ihr Leben und Werk* (München: Antje Kunstmann, 1990) behauptet Louise DeSalvo, dass

»[p]raktisch jedes männliche Mitglied« der »völlig zerrüttete[n] Familie« der Stephens/Duckworths Kindsmissbrauch betrieb (S. 1 f.). Eine derartige Aussage beruht auf vorsätzlicher Übertreibung und auf Mutmaßungen. Das gilt auch für DeSalvos Behauptung, es bestehe ein »Ursache-Wirkung-Verhältnis« zwischen diesem Missbrauch und VWs Krankheit (S. 121). Als Antwort darauf hebt Caramagno in *The Flight of the Mind* (wie Anm. 3) die biochemischen Ursachen und Auswirkungen manischer Depression hervor.

14 »Reminiszenzen«, in: *Augenblicke des Daseins*, S. 44.

15 »Hyde Park Gate 22«, in: *Augenblicke des Daseins*, S. 67.

16 Etwa »Thoughts on Social Success« (1903), in: *A Passionate Apprentice* (wie Anm. 5), S. 167.

17 Ebd., S. 168.

18 *Mrs. Dalloway*, S. 192.

19 »Skizze der Vergangenheit« (wie Anm. 12), S. 222.

20 Warboys-Tagebuch (1899), in: *A Passionate Apprentice* (wie Anm. 5), S. 145.

21 VW an Thoby Stephen, 5. November [1901].

22 Vgl. etwa »Blättern in Evelyns Tagebuch«, in: *Der gewöhnliche Leser*, Bd. 1, S. 100–109.

23 »Retrospect« (1903), in: *A Passionate Apprentice* (wie Anm. 5), S. 187.

24 VW an Violet Dickinson [September 1902].

25 Veröffentlicht als: *Sir Leslie Stephen's Mausoleum Book*, hg. von Alan Bell, Oxford: Clarendon Press, 1977.

26 *Tagebücher*, Bd. 3, 28. November 1928.

27 Frederic William Maitland, *The Life and Letters of Leslie Stephen*, London: Duckworth, 1906, S. 474–477; VWs Beitrag ist nachgedruckt in: *The Essays of Virginia Woolf*, Bd. 1, hg. von Andrew McNeillie, London: Hogarth Press, 1986, S. 127–130.

28 VW an Madge Vaughan [Mitte Dezember 1904].

29 VW an Lady Robert Cecil, 22. Dezember 1904.

30 Tagebuch von 1904/05, in: *A Passionate Apprentice* (wie Anm. 5), S. 216.

31 VW an Violet Dickinson [Anfang Januar 1905].

32 Leslie Stephen an Charles Eliot Norton, 11. März 1883; zitiert nach Maitland (wie Anm. 27), S. 337.

33 Tagebuch von 1905, in: *A Passionate Apprentice* (wie Anm. 5), S. 219. Die Summe erhielt sie für zwei Rezensionen und den Essay »Literary Geography« über einen Besuch im Pfarrhaus der Brontës in Haworth.

3

Start ins Leben: 1905–1915

1 »Old Bloomsbury«, in: *Augenblicke des Daseins*, S. 72f.

2 VW an Violet Dickinson, 1. Oktober 1905.

3   VW an Violet Dickinson,
16. Januar 1906.

4   Cornwall-Tagebuch (1905), in: *A Passionate Apprentice: The Early Journals of Virginia Woolf,* hg. von Mitchell A. Leaska, London: Hogarth Press, 1990, S. 290.

5   Ebd., S. 294.

6   Tagebuch von 1904/05, in: *A Passionate Apprentice* (wie Anm. 4), S. 276 f.

7   »Greece 1906«, in: *A Passionate Apprentice* (wie Anm. 4), S. 333.

8   VW an Violet Dickinson,
23. Dezember 1906.

9   VW an Violet Dickinson,
22. September 1907.

10 VW an Vanessa Bell [vermutlich Oktober 1907].

11 VW an Vanessa Bell,
29. August 1908.

12 VW an Clive Bell,
28. August 1908.

13 VW an Vanessa Bell,
25. Dezember 1909.

14 »Lady Hester Stanhope«, in: *The Essays of Virginia Woolf,* Bd. 1, hg. von Andrew McNeillie, London: Hogarth Press, 1986, S. 325.

15 VW an Clive Bell,
26. Dezember 1909.

16 VW an Vanessa Bell,
24. Juni 1910.

17 VW an Vanessa Bell,
28. Juli 1910.

18 Vanessa Bell, »Notes on Bloomsbury«, in: *The Bloomsbury Group: A Collection of Memoirs,* hg. von S. P. Rosenbaum, London: Taylor & Francis, 1975, S. 81.

19 VW an Violet Dickinson,
27. November 1910.

20 VW an Molly MacCarthy [März 1911].

21 *Die Wellen,* S. 46, S. 161.

22 VW an Violet Dickinson [vermutlich Juni 1906].

23 VW an Vanessa Bell,
10. August 1908.

24 VW an Ottoline Morrell,
9. November 1911.

25 VW an Leonard Woolf,
2. Dezember 1911.

26 VW an Violet Dickinson,
4. Juni 1912.

27 Leonard Woolf, *Beginning Again: An Autobiography of the Years 1911–1918*, London: Hogarth Press, 1962, S. 57.

28 VW an Leonard Woolf,
1. Mai 1912.

29 VW an Janet Case, Juni 1912.

30 VW an Lady Robert Cecil,
Juni 1912.

31 VW an Violet Dickinson,
1. Januar 1911. Eine frühere Fassung des Romans wurde mithilfe von Rohfassungen rekonstruiert und unter dem Titel *Melymbrosia* veröffentlicht, hg. von Louise DeSalvo, Berkeley, CA: Cleis Press, 2002.

32 *Die Fahrt hinaus,* S. 250f.

33 Ebd., S. 166.

34 Ebd., S. 342.

35 Ebd., S. 346.

36 VW an Leonard Woolf,
4. Dezember 1913.

4

Erste große Erfolge:
1916–1922

1 VW an Katherine Cox,
   12. Februar 1916.
2 VW an Ethel Smyth,
   16. Oktober 1930.
3 *Nacht und Tag*, S. 182.
4 Ebd., S. 640.
5 *Tagebücher*, Bd. 2, 2. Januar 1923.
6 VW an Violet Dickinson, 10. April
   1917; VW an Lady Robert Cecil,
   14. April 1917.
7 »A Mark on the Wall« (1917)
   wurde zusammen mit Leonards
   Kurzgeschichte »Three Jews«
   unter dem Titel *Two Stories* veröffentlicht, es war das erste
   von der Hogarth Press verlegte
   Buch. Die deutsche Übersetzung
   heißt »Das Mal an der Wand«,
   erschienen in: *Das Mal an der
   Wand*, S. 95–103.
8 In: *Das Mal an der Wand*,
   S. 133–146.
9 *Tagebücher*, Bd. 2,
   25. Oktober 1920.
10 *Tagebücher*, Bd. 1,
   20. Januar 1919.
11 Ebd., 15. Februar 1919.
12 *Tagebücher*, Bd. 2,
   22. August 1922.
13 VW an Katherine Arnold-Forster,
   12. August 1919.
14 *Tagebücher*, Bd. 2,
   15. September 1921.
15 VW an Vanessa Bell,
   28. Juni 1916.
16 *Tagebücher*, Bd. 1,
   22. November 1917.

17 Ebd., 2. November 1917.
18 VW an Violet Dickinson,
   27. November 1919.
19 *Tagebücher*, Bd. 2, 22. März 1921,
   Psalm 126 zitierend.
20 *Tagebücher*, Bd. 1, 18. Mai 1919.
21 VW an Lytton Strachey,
   12. Oktober 1918.
22 *Tagebücher*, Bd. 2,
   13. Februar 1920.
23 Ebd., 8. April 1921.
24 Katherine Mansfield an VW,
   24.? Juni 1917, in: *Katherine
   Mansfield: Selected Letters*, hg.
   von Vincent O'Sullivan,
   Oxford: Oxford University
   Press, 1989, S. 56.
25 *Tagebücher*, Bd. 2, 25. August 1920.
   Angela Smith schreibt in *Katherine Mansfield and Virginia
   Woolf: A Public of Two* (Oxford:
   Oxford University Press, 1999)
   von einer »gespenstischen Dopp-
   lung« in ihren Texten. Hermione
   Lee schildert in *Virginia Woolf*
   die Beziehung zu Katherine
   Mansfield als eine der wichtigs
   ten, kompliziertesten und
   verstörendsten in VWs Leben:
   S. 507–526.
26 *Tagebücher*, Bd. 2, 13. März 1921.
27 Ebd., 22. März 1921.
28 Ebd., 23. Juni 1922.
29 VW an Roger Fry, 6. Mai 1922.
30 *Tagebücher*, Bd. 2, 16. August 1922.
31 Ebd., 26. September 1920.
32 Ihre Reaktion auf Arnold Bennetts
   Essaysammlung *Our Women*.
   Tagebücher, Bd. 2,
   26. September 1920.
33 *Tagebücher*, Bd. 2,
   25. Oktober 1920.

34 VW an E. M. Forster,
   21. Januar 1922.
35 *Jacobs Zimmer*, S. 8.
36 Ebd., S. 31.
37 Ebd., S. 40.
38 Ebd., S. 114.
39 Ebd., S. 184.
40 *Tagebücher*, Bd. 2,
   13. November 1922.

5
___

**»Immer weiter hinaus«:
1923–1925**

1 VW an Gerald Brenan,
   25. Dezember 1922.
2 *Tagebücher*, Bd. 2, 28. Juni 1923,
   29. Oktober 1922.
3 *Mrs. Dalloway*, S. 6.
4 *Tagebücher*, Bd. 2, 8. Oktober 1922.
5 Ebd., 15. Oktober 1923.
6 Ebd.
7 VW an Gerald Brenan,
   13. Mai 1923.
8 VW an Marjorie Joad,
   15. Februar 1925.
9 VW an Gwen Raverat,
   1. Mai 1925.
10 VW an Vanessa Bell,
   27. April 1924.
11 *Mrs. Dalloway*, S. 5.
12 *Tagebücher*, Bd. 3, 14. September 1925. »Gloomsbury«
   (engl. *gloom:* Düsternis) ist Vitas
   Wortspiel auf »Bloomsbury«
   (Anm. d. Übers.).
13 Ebd., Bd. 2, 15. September 1924.
14 VW an Vita Sackville-West,
   15. September 1924.
15 VW an Jacques Raverat,
   26. Dezember 1924.

16 VW an Jacques Raverat,
   24. Januar 1925.
17 *Tagebücher*, Bd. 2,
   15. September 1924.
18 *Der gewöhnliche Leser*, Bd. 1,
   S. 132–163: »Taylors und Edge-
   worths«, »Laetitia Pilkington«
   und »Miss Ormerod«. Dank VW
   und der späteren Studien über
   Frauen des 19. Jahrhunderts sind
   die Frauengestalten in ihren
   Essays mittlerweile weit weniger
   unbekannt.
19 *Zum Leuchtturm*, S. 55
20 *Tagebücher*, Bd. 2,
   7. Januar 1923.
21 Ebd., 16. Januar 1923.
22 Tagebucheintrag vom 5. Mai 1924,
   neu übersetzt.
23 *Tagebücher*, Bd. 2, 5. Mai 1924.
24 Ebd., 21. Juni 1924.
25 Ebd., 15. Oktober 1923.
26 *Mrs. Dalloway*, S. 219.
27 VW an Gwen Raverat,
   8. April 1925.

6
___

»Das ist es«: 1925–1927

1 Handschriftliche Notizen, zitiert
   nach Hermione Lee, *Virginia
   Woolf*, S. 621.
2 »Skizze der Vergangenheit«, in:
   Augenblicke des Daseins, S. 146.
3 *Tagebücher*, Bd. 3,
   28. November 1928.
4 Vanessa Bell an VW, 11. Mai 1927,
   in: *The Letters of Virginia Woolf,*
   Bd. 3, S. 572.
5 VW an Vita Sackville-West,
   21. Februar 1927.

6 *Tagebücher*, Bd. 3,
2. August 1926.

7 Ebd., 14. Juni 1925 (leicht verändert zitiert).

8 *Zum Leuchtturm*, S. 218.

9 Ebd., S. 212.

10 *Mrs. Dalloway*, S. 219.

11 *Zum Leuchtturm*, S. 218.

12 *Tagebücher*, Bd. 3,
27. Februar 1926.

13 Ebd.

14 *Zum Leuchtturm*, S. 217.

15 »Skizze der Vergangenheit«
(wie Anm. 2), S. 134f.

7

Ferien einer Schriftstellerin: 1927–1928

1 Zitiert nach Elizabeth Bowens
Vorwort zu *Orlando* von 1960,
nachgedruckt in: *The Mulberry
Tree*, hg. von Hermione Lee,
London: Vintage, 1999, S. 131f.

2 *Tagebücher*, Bd. 3,
14. März 1927.

3 Ebd., 20. September 1927.

4 Ebd., 22. Oktober 1927.

5 Ebd., 18. März 1928.

6 *Zum Leuchtturm*, S. 14.

7 *Tagebücher*, Bd. 3,
14. März 1927.

8 VW an Vita Sackville-West,
15. März 1927.

9 *Tagebücher*, Bd. 3,
20. Dezember 1927.

10 *Orlando*, S. 75–85.

11 *Tagebücher*, Bd. 3,
20. September 1927.

12 Ebd., 21. Dezember 1925 und
23. Februar 1926.

13 VW an Vita Sackville-West,
5. Februar 1927.

14 Vita Sackville-West an Harold
Nicolson, 17. August 1926, in:
*Vita and Harold: The Letters of
Vita Sackville-West and Harold
Nicolson*, hg. von Nigel Nicolson,
East Rutherford, NJ: Putnam,
1992, S. 159.

15 VW an Vita Sackville-West,
23. März 1927.

16 *Orlando*, S. 104.

17 Ebd., S. 138.

18 Vgl. Vita Sackville-Wests Familiengeschichte *Pepita: Die Tänzerin und die Lady*, übers. von
Hans B. Wagenseil, Hamburg:
Christian Wegner, 1938.

19 VW an Gerald Brenan,
1. Dezember 1923.

20 *Ein eigenes Zimmer*, S. 79f.

8

Stimmen: 1929–1932

1 *Die Wellen*, S. 219.

2 Vanessa Bell an VW, 3. Mai 1927,
in: *Selected Letters of Vanessa
Bell*, hg. von Regina Marler,
London: Bloomsbury, 1993.

3 *Tagebücher*, Bd. 3, 23. Juni 1929.

4 VW an G. L. Dickinson,
27. Oktober 1931.

5 *Die Wellen*, S. 165.

6 *Mrs. Dalloway*, S. 11.

7 VW an Ethel Smyth,
28. August 1930.

8 Joan Russell Noble
(Hg.), *Erinnerungen an
Virginia Woolf von ihren Zeit-
genossInnen*, S. 175.

9   *Tagebücher*, Bd. 3,
    26. Dezember 1929.
10 Ebd., 25. September 1929.
11 Ebd., 26. Januar 1930.
12 Ebd., 7. November 1928.
13 Ebd., 28. März 1930.
14 Ebd., 9. April 1930.
15 VW an Violet Dickinson,
    7. Juli 1907.
16 *Tagebücher*, Bd. 4,
    7. Januar 1931.
17 *Tagebücher*, Bd. 3,
    16. September 1929.
18 Ebd., 16. Februar 1930 und
    8. September 1930.
19 *Tagebücher*, Bd. 4,
    7. Februar 1931.
20 *Tagebücher*, Bd. 3,
    21. Februar 1930.
21 VW an Ethel Smyth,
    27. Februar 1930.
22 *Tagebücher*, Bd. 3,
    21. Februar 1930.
23 VW an Ethel Smyth,
    18. Juni 1932.
24 VW an Vita Sackville-West,
    4. August 1931.
25 *Tagebücher*, Bd. 3,
    20. August 1930.
26 VW an Vita Sackville-West,
    6. November 1930.
27 VW an Ethel Smyth,
    15. August 1930.
28 »Die Romane Thomas Hardys«,
    in: *Der gewöhnliche Leser*,
    Bd. 2, S. 292 und 294.
29 Ebd., S. 296.
30 VW an Ethel Smyth,
    29. Dezember 1931.
31 VW an Hugh Walpole,
    16. Juli 1930.
32 VW an Ethel Smyth,
    2. August 1930.
33 VW an den Herausgeber des
    New Statesman, 28. Oktober 1933.

9

**Die Argumente der Kunst:
1932–1938**

1   *Tagebücher*, Bd. 4, 25. April 1933.
2   Ebd.
3   Ebd., 13. September 1935: »Das
    Schwierige ist immer der Anfang
    eines Kapitels oder Abschnitts,
    wo eine ganze neue Stimmung
    haargenau in ihrem Zentrum
    erwischt werden muss.«
4   Ebd., 31. Mai 1933. VWs erster
    Entwurf für diesen »Essay-
    Roman« wurde im Original
    veröffentlicht und gibt uns einen
    guten Einblick in ihre Arbeits-
    weise während der Dreißiger-
    jahre. Vgl. *The Pargiters,* hg. von
    Mitchell A. Leaska, New York:
    New York Public Library, 1977.
5   Vgl. *Tagebücher*, Bd. 4,
    16. August 1933, sowie VWs
    Essay »The Novels of Turgenev«
    (1933), neu abgedruckt in:
    The Essays of Virginia Woolf,
    Bd. 6, hg. von Stuart N. Clarke,
    London: Hogarth Press, 2011,
    S. 8–17: »Nur wenige vereinen
    die Fakten mit der Vision,
    und die besondere Qualität, die
    wir bei Turgenjew finden, ist
    das Ergebnis dieses doppelten
    Vorgangs« (S. 11).
6   *Tagebücher*, Bd. 4,
    19. Dezember 1932.

7 Ebd., 2. November 1932.

8 Für eine nützliche und differen-
zierte Analyse vgl. Maren Linett,
»The Jew in the Bath«, in:
Modern Fiction Studies 48:2,
2002, S. 341–361. Allgemein
zum Themenkomplex Vorurteile
und Anzüglichkeiten vgl. Hermione Lee, »Virginia Woolf
and Offence«, in: *The Art of
Literary Biography*, hg. von
John Batchelor, Oxford: Oxford
University Press, 1994.

9 Eine ausführliche Schilderung
findet sich in: Alison Light,
Mrs Woolf and the Servants,
London: Fig Tree, 2007.

10 *Tagebücher*, Bd. 4,
2. September 1934.

11 Ebd., 12. September 1934.

12 VW an Ethel Smyth,
11. September 1934.

13 *Tagebücher*, Bd. 4,
19. Januar 1935.

14 Ebd., 29. Oktober 1933.

15 Ebd., 17. Juli 1935.

16 Ebd., 15. Oktober 1935.

17 Ebd., 29. Dezember 1935.

18 *Tagebücher*, Bd. 5, 3.
Januar 1936.

19 Ebd., 5. November 1936.

20 Ebd., 30. November 1936.

21 *Die Jahre*, S. 377 und 388.

22 Ebd., S. 340.

23 Ebd., S. 399.

24 *Tagebücher*, Bd. 5, 15. Mai 1940.

25 VW an Julian Bell, 28. Juni 1936.

26 *Tagebücher*, Bd. 5,
12. Oktober 1937.

27 Ebd., 22. Oktober 1937.

28 Ebd., 12. Oktober 1937.

29 *Die Jahre*, S. 359f.

10
_____

Sussex: 1938–1941

1 *Tagebücher*, Bd. 5,
13. September 1938.

2 Ebd., 14. September 1938.

3 VW an Ethel Smyth,
29. August 1938.

4 *Tagebücher*, Bd. 5, 22. Juni 1940.

5 Ebd., 25. Juli 1940.

6 Ebd., 29. Juni 1939,
11. Dezember 1938 und
23. Juni 1939.

7 Virginia Woolf, *Roger Fry:
A Biography*, London: Vintage,
2003, S. 150 und 161.

8 Ebd., S. 104.

9 Ebd., S. 202.

10 *Tagebücher*, Bd. 5,
28. August 1939.

11 *Tagebücher*, Bd. 2,
3. September 1922.

12 *Zwischen den Akten*, S. 74.

13 *Tagebücher*, Bd. 5,
9. Juni 1940.

14 *Zwischen den Akten*, S. 124.

15 Ebd. S. 133.

16 *Tagebücher*, Bd. 5,
12. Juli 1940.

17 Ebd., 16. August 1940.

18 Ebd., 20. Oktober 1940.

19 Ebd.

20 Ebd., 28. August 1940.

21 Ebd., 22. Juni 1940.

22 »Skizze der Vergangenheit«, in:
Augenblicke des Daseins, S. 170.

23 Ebd., S. 134.

24 Ebd., S. 183.

25 Ebd., S. 232f.

26 Ebd., S. 250.

27 Ebd., S. 249.

28 *Zwischen den Akten*, S. 145.
29 *Tagebücher*, Bd. 5,
    14. Oktober 1938.
30 Die Notizen und ersten Entwürfe
    wurden mit ausführlichem
    Kommentar unter dem Titel
    »›Anon‹ and ›The Reader‹:
    Virginia Woolf's Last Essays«,
    hg. von Brenda R. Silver,
    veröffentlicht in: *Twentieth
    Century Literature* 25, 1979,
    S. 356–441 und nachgedruckt in:
    The Essays of Virginia Woolf,
    Bd. 6, hg. von Stuart N. Clarke,
    London: Hogarth Press, 2011,
    S. 580–607.
31 *Tagebücher*, Bd. 5,
    24. Dezember 1940.
32 Hermione Lee identifiziert
    »egotism« (in der dt. Ausgabe der
    Biografie mit »Selbstsucht«
    übersetzt) als »one of Woolf's
    most important words«.
    Vgl. Hermione Lee, *Virginia
    Woolf*, London: Chatto &
    Windus, 1996, S. 5–7, 17–18 und
    72, sowie zu dessen Gegenpol
    »anonymity« S. 745–767.
33 »Skizze der Vergangenheit«
    (wie Anm. 22), S. 236 (leicht ver-
    ändert zitiert).
34 VW an Ethel Smyth,
    1. Februar 1941.
35 Zitiert nach *Englische und
    amerikanische Dichtung*, Bd. 2.,
    hg. von Werner von Koppenfels
    und Manfred Pfister, München:
    C. H. Beck, 2000, S. 311.
36 *Tagebücher*, Bd. 5,
    26. Januar 1941.
37 VW an Leonard Woolf, ver-
    mutlich 28. März 1941, leicht

verändert zitiert nach Hermione
    Lee, *Virginia Woolf*, S. 985f.
38 VW an Vanessa Bell, vermutlich
    23. März 1941.
39 Diese Briefe, von denen viele
    ebenso beredte wie berührende
    Würdigungen VWs sind, wurden
    auf Englisch veröffentlicht in:
    *Afterwords: Letters on the
    Death of Virginia Woolf*, hg. von
    Sybil Oldfield, Edinburgh:
    Edinburgh University Press, 2005.
40 *Die Wellen*, S. 161; *Mrs. Dalloway*,
    S. 138 (vgl. auch S. 28 und 67).

———————

Danach

1 VW an Leonard Woolf, vermut-
    lich 28. März 1941.
2 *Virginia Woolf and Lytton
    Strachey: Letters*, hg. von James
    Strachey und Leonard Woolf,
    London: Chatto & Windus, 1956,
    sowie »*Geliebtes Wesen…*«:
    *Briefe von Vita Sackville-West an
    Virginia Woolf*, hg. von Louise
    DeSalvo und Mitchell A. Leaska,
    Frankfurt am Main: S. Fischer,
    1995.
3 *Carlyle's House and Other
    Sketches*, hg. von David
    Bradshaw, London: Hesperus,
    2003. Dieses Tagebuch
    datiert von 1909. Wahrschein-
    lich hat VW kurz vor dem
    Ersten Weltkrieg noch weitere
    Tagebücher geführt, es könnte
    sich also noch mehr finden.
4 Leicht verändert zitiert
    nach Quentin Bell, *Virginia
    Woolf*, S. 459.

5   Jane Marcus, *Virginia Woolf and the Language of Patriarchy*, Bloomington, IN: Indiana University Press, 1987.

6   Louise DeSalvo, *Virginia Woolf: Die Auswirkungen sexuellen Missbrauchs auf ihr Leben und Werk.*

7   Lyndall Gordon, *Virginia Woolf: Das Leben einer Schriftstellerin.*

8   Regina Marler erzählt die Geschichte von VWs posthumer Rezeption in *Bloomsbury Pie,* London: Virago, 1998.

9   Zur Ikonographie der Beresford-Photos vgl. Hermione Lee, *Virginia Woolf,* S. 329, sowie Brenda R. Silver, *Virginia Woolf: Icon,* Chicago, IL: Chicago University Press, 1999, S. 130.

10 Joan Russell Noble (Hg.), *Erinnerungen an Virginia Woolf von ihren ZeitgenossInnen,* S. 268.

11 Ebd., S. 70.

12 Vgl. Hermione Lee, »Virginia Woolf's Nose«, in: *Body Parts: Essays on Life Writing,* London: Chatto & Windus, 2005, S. 28–44.

13 *Waves* unter der Regie von Katie Mitchell hatte am 18. November 2006 am National Theatre in London Premiere.

14 »Die Kunst der Biographie«, in: *Der Tod des Falters,* S. 186.

15 Alison Light, *Mrs Woolf and the Servants,* London: Fig Tree, 2007; Victoria Glendinning, *Leonard Woolf,* London: Simon & Schuster, 2006.

16 Olivia Laing, *To the River: A Journey beneath the Surface,* Edinburgh: Canongate, 2011.

17 *The Essays of Virginia Woolf,* 6 Bde., hg. von Andrew McNeillie und Stuart N. Clarke, London: Hogarth Press, 1986–2011.

18 *Tagebücher,* Bd. 4, 22. September 1931.

BIBLIOGRAPHIE

Primärtexte

— *Augenblicke des Daseins: Auto-biographische Skizzen.* Übersetzt von Brigitte Walitzek. Frankfurt am Main: S. Fischer, 2012

— Drei Guineen. In: *Ein eigenes Zimmer / Drei Guineen.* Übersetzt von Brigitte Walitzek. Frankfurt am Main: S. Fischer, 2001

— *Ein eigenes Zimmer.* Übersetzt von Heidi Zerning. Frankfurt am Main: Fischer Taschenbuch, 2012

— *Die Fahrt hinaus.* Übersetzt von Karin Kersten. Frankfurt am Main: Fischer Taschenbuch, 1987

— *Der gewöhnliche Leser*, Bde. 1 und 2. Übersetzt von Hannelore Faden und Helmut Viebrock. Frankfurt am Main: Fischer Taschenbuch, 1997

— *Jacobs Zimmer.* Übersetzt von Heidi Zerning. Frankfurt am Main: S. Fischer, 1998

— *Die Jahre.* Übersetzt von Brigitte Walitzek. Frankfurt am Main: S. Fischer, 2000

— *The Letters of Virginia Woolf,* 6 Bände, hg. von Nigel Nicolson und Joanne Trautmann Banks. London: Hogarth Press, 1975–1980

— *Das Mal an der Wand.* Übersetzt von Marianne Frisch. Frankfurt am Main: S. Fischer, 1988

— *Mrs. Dalloway.* Übersetzt von Hans-Christian Oeser. Stuttgart: Reclam, 2012

— *Nacht und Tag.* Übersetzt von Michael Walter unter Mitarbeit von Walter Hartmann. Frankfurt am Main: Fischer Taschenbuch, 1983

— *Orlando: Eine Biographie.* Übersetzt von Melanie Walz. Berlin: Insel, 2012

— *Tagebücher*, Bde. 1–5. Übersetzt von Maria Bosse-Sporleder und Claudia Wenner. Frankfurt am Main: S. Fischer, 1990–2008

— *Der Tod des Falters: Essays.* Übersetzt von Hannelore Faden und Joachim A. Frank. Frankfurt am Main: S. Fischer, 1997

— *Die Wellen.* Übersetzt von Maria Bosse-Sporleder. Frankfurt am Main: S. Fischer, 1991

— *Zum Leuchtturm.* Übersetzt von Karin Kersten. Frankfurt am Main: S. Fischer, 1991

— *Zwischen den Akten.* Übersetzt von Adelheid Dormagen. Frankfurt am Main: S. Fischer, 1992

Sekundärtexte:

— Quentin Bell, *Virginia Woolf:
Eine Biographie.* Übersetzt von
Arnold Fernberg. Frankfurt am Main:
Insel, 1977
— Louise DeSalvo, *Virginia Woolf:
Die Auswirkungen sexuellen
Mißbrauchs auf ihr Leben und Werk.*
Übersetzt von Elfi Hartenstein.
München: Antje Kunstmann, 1990
— Lyndall Gordon, *Virginia Woolf:
Das Leben einer Schriftstellerin,
beschrieben von Lyndall Gordon.*
Übersetzt von Tommy Jacobsen.
Frankfurt am Main: S. Fischer, 1987
— Hermione Lee, *Virginia Woolf:
Ein Leben.* Übersetzt von
Holger Fliessbach. Frankfurt am
Main: S. Fischer, 1999
— Nigel Nicolson, *Virginia Woolf.*
Übersetzt von Monika Noll.
München: Claassen, 2000
— Joan Russell Noble (Hg.),
*Erinnerungen an Virginia Woolf
von ihren ZeitgenossInnen.* Übersetzt
von Susanne Amrain. Göttingen:
Daphne-Verlag, 1994

221

224

Alle Bilder von Vanessa Bell © Estate of Vanessa Bell, courtesy Henrietta
Garnett — Frontispiz: Estate of Gisèle Freund/IMEC Images; — S. 11, 19: Getty
Images; — S. 21: G.F. Watts, *Portrait of Sir Leslie Stephen*, 1878. National
Portrait Gallery, London; — S. 27: Private Collection; — S. 33: Private Collection/
Bridgeman Art Library; — S. 41, 45: Estate of Professor Quentin Bell mit
freundlicher Genehmigung von Julian Bell; — S. 48: Vanessa Bell, *The Bed-
room, Gordon Square*, 1912. Photo Anthony d'Offay Gallery; — S. 58: Photo
Vanessa Bell; — S. 62: Dora Carrington, *Asheham House*; — S. 64: Photo
reproduziert mit freundlicher Genehmigung von Angelica Garnett; — S. 73:
Tate Archives, London; — S. 75: Vanessa Bell, *Clive Bell and Family*, Leicester
Museum; — S. 81: Getty Images; — S. 83: Mark Gertler, *The Pond at Garsing-
ton*, 1916, Leeds Art Galleries; — S. 87: Photo Ramsey & Muspratt, Cambridge;
S. 89: Roger Fry, *E. M. Forster*, Private Collection; — S. 93: Vanessa Bell,
A Conversation, 1913–16. Courtauld Institute Gallery, London; — S. 100: Vanessa
Bell, *Autumn Announcements*, 1924 für Hogarth Press; — S. 103: Sasha/Getty
Images; — S. 104: Maurice Beck/Vogue; — S. 107: Vanessa Bell Umschlagge-
staltung für *Mrs Dalloway* von Virginia Woolf ca. 1925. Photo Eileen Tweedy;
— S. 111: Photographie von Julia Margaret Cameron; — S. 113: Vanessa Bell,
Leonard Woolf, 1925. National Portrait Gallery, London; — S. 117: Private
Collection/Bridgeman Art Library; — S. 121: Vita Sackville-West aus *Orlando,
A Biography*, von Virginia Woolf, London, 1928; — S. 123: Vanessa Bell,
Vorsatzpapier für *Flush* von Virginia Woolf, London, 1933; — S. 126: Dora
Carrington. *Lytton Strachey*; — S. 130: Roger Fry, *View of Cassis*, 1925. Musée
d'Art Moderne, Paris; — S. 132: Photo Edwin Smith; — S. 138: Ramsey &
Muspratt, Cambridge; — S. 141: Vanessa Bell, Umschlaggestaltung für *The
Waves* von Virginia Woolf, London 1931; — S. 145: Estate of Professor Quentin
Bell mit freundlicher Genehmigung von Julian Bell; — S. 157: Roger Fry,
Umschlaggestaltung für *Cezanne, A Study of His Development* von Roger
Fry, London, 1927; — S. 160: Fox Photos/Getty Images; — S. 164: Private
Collection; — S. 167: Vanessa Bell, *Roger Fry and Julian Bell at Charleston*.
King's College, Cambridge; — S. 173: Photo Edwin Smith; — S. 178: Diana
Gardner, *The Hedge Hoppers*, 1940. © Estate of Diana Gardner. Illustration
mit freundlicher Genehmigung von Cecil Woolf Publishers, London;

Titel der englischen Originalausgabe
Virginia Woolf, erschienen bei Thames & Hudson Ltd, London 2011
Copyright © 2011 Alexandra Harris

1. Auflage 2015

© für die deutsche Ausgabe: L.S.D.
(Lagerfeld, Steidl, Druckerei Verlag)
im Steidl Verlag, Göttingen 2015
Alle deutschen Rechte vorbehalten
Übersetzung: Tanja Handels und
Ursula Wulfekamp
Lektorat: Tanja Milewsky
Gestaltung: Sarah Winter / Steidl Design
Vignette von Karl Lagerfeld

Satz, Druck, Bindung:
Steidl, Düstere Straße 4,
37073 Göttingen
www.steidl.de

Printed in Germany by Steidl
ISBN 978-3-86930-835-7

Photo: Sidney Birch

Alexandra Harris, geboren 1981 in Sussex, studierte an der University of Oxford und am Courtauld Institute, London. Für ihr erstes Buch *Romantic Moderns* wurde sie 2010 mit dem Guardian First Book Award ausgezeichnet. Die Autorin lehrt Englische und Amerikanische Literatur an der University of Liverpool.